Mode & contre-mode

Une anthologie de Montaigne à Perec

Mode & contre-mode

Une anthologie de Montaigne à Perec

Textes choisis et présentés par
Abigail S. Lang

EDITIONS DE L'INSTITUT FRANÇAIS DE LA MODE
EDITIONS DU REGARD

La collection des Editions de l'Institut français de la Mode a pour objectif d'être un outil d'analyse et de réflexion autour de la mode. Abordant simultanément différentes dimensions de ce pan de la culture, cette collection s'intéresse à son management comme à sa sociologie, à sa littérature comme à son économie. Mais qu'elle produise des textes originaux ou qu'elle réédite des textes indisponibles, sa spécificité est d'être majoritairement consacrée à l'écrit, forme la plus traditionnelle de diffusion du savoir mais forme en revanche peu usitée dans un univers où l'image a, depuis longtemps, pris le pas sur le mot. Cette collection n'a ainsi d'autre ambition que de proposer et de diffuser un regard complémentaire sur la mode, un regard qui, sans les contredire, soit simplement posé *à côté* des images.

Collection dirigée par Bruno Remaury

Il n'est rien qu'elle ne face, ou qu'elle ne puisse : et avec raison l'appelle Pindarus, à ce qu'on m'a dict, la Royne et Emperiere du monde.

Michel de Montaigne, Essais, I, xxii.

A ma grand-mère.

Merci à Dominique T. Pasqualini.

Introduction

Comme la peinture, la littérature est dépositaire d'une mémoire du costume, d'une histoire du vêtement. Mais contrairement à la peinture, destinée par son médium à la consignation et à la description, la littérature a la possibilité de débattre plus en détail de l'aspect social du vêtement et particulièrement de sa manifestation la plus générale qu'est la mode. La présente anthologie se préoccupe de la mode comme phénomène social.

Si les propos littéraires sur la mode remontent à l'Antiquité, on peut poser que la mode telle que nous la connaissons naît en Europe à l'époque de la Renaissance, rendue possible et nécessaire par l'émergence conjointe de la bourgeoisie et du capitalisme. Entre les paysans – en vêtements de travail ou en haillons – et les aristocrates – en vêtements d'apparat ou en uniforme – apparaissent des bourgeois plus ou moins aisés et déterminés à exhiber leur réussite, notamment par leur habit et ce en contournant ou en bravant les ordonnances royales qui réservent certains attributs honorifiques aux nobles : or, argent, brocart, velours, coloris, etc. C'est pourquoi les textes de cette anthologie se cantonnent aux cinq siècles qui précèdent le nôtre, s'échelonnant de 1494 à 1978 précisément.

On a privilégié les auteurs célèbres, sans s'interdire d'en inclure d'autres, plus obscurs, lorsque l'originalité de leurs propos apportait des éléments inédits. On a également privilégié les auteurs français, tout en incluant des textes étrangers particulièrement caractéristiques d'une pensée ou d'une époque ou qui apportaient une confirmation ou un démenti du point de vue français, ou un autre éclairage sur celui-ci.

Le plaisir et l'intérêt du genre anthologique consistent dans son foisonnement, dans la multiplicité des styles qui s'y juxtaposent. Un vaste choix de genres est ici représenté : prose et vers, fictions et documents, œuvres et périodiques, dictionnaires et pamphlets. Les extraits peuvent ainsi provenir d'encyclopédies, d'essais, de romans, de mémoires, de correspondances, de pièces de théâtre, de poèmes, d'articles de presse ou de pseudo ordonnances. Cette diversité des genres, que décuplent la diversité des époques, des styles et des propos, a été intentionnellement conservée au sein de chaque chapitre. Ce procédé permet de surprendre des auteurs conversant à plusieurs siècles et pays de distance, ou de percevoir des échos insoupçonnés. On entend ainsi la *Gazette du bon ton* répondre à Montaigne au sujet de la mutabilité de la mode, Madame de Sévigné, les frères Goncourt et La Bruyère tomber d'accord sur les mutations fulgurantes qui affectent les coiffures, Colette et Montaigne désespérer en chœur du bon sens féminin, et Baudelaire, Diderot, Fargue, et Gautier échanger des arguments pied à pied dans une bataille rangée au sujet du fard. On sera parfois surpris de découvrir l'ancienneté de certains comportements et jugements, et leur permanence. La marquise de Sévigné nous apprend ainsi que l'on « craquait » pour un morceau de tissu au XVIIe siècle comme aujourd'hui. La présente anthologie rejette toute prétention à l'exhaustivité mais aspire à donner une assez bonne mesure des opinions, thèmes, et images que la mode a suscité dans les siècles passés.

L'éminence des auteurs qui se sont intéressés à la mode et l'importance qu'ils y accordent suffit à démontrer que ce sujet d'apparence futile et frivole engage des choses plus graves. Derrière le foisonnement bigarré des textes recueillis, trois pôles ont émergé – le temps, le corps et le politique – qui constituent les trois parties centrales composant cet ouvrage. Elles sont encadrées par une section introductive qui cherche à cerner la mode, et par un épilogue esquissant les questions contemporaines qu'elle pose.

La mode est politique. La mode en tant que phénomène social relève du politique, de la cité, de l'être-ensemble, de la communauté, du pouvoir, de l'autorité. Cela, presque tous les textes le manifestent d'une manière ou d'une autre, soit en l'énonçant explicitement, soit sous la forme d'une image, soit les deux.

Citant Pindare, Montaigne appelle la mode « la Royne et Emperiere du monde ». Octave Uzanne reprend l'expression au XXe siècle. Cette image qui règne ainsi depuis plus de vingt-quatre siècles résume le caractère souverain associé depuis toujours à la mode. Que ce soit en un mot ou en une allégorie largement développée, la mode est personnifiée sous les traits d'une impératrice, d'une reine, ou d'une déesse. La récurrence et la constance de cette personnification sont remarquables.

La mode naît lorsque le vêtement ne se réduit plus à ses vertus protectrices, thermiques et de parade sexuelle : elle est politique dès sa naissance. La mode n'est possible qu'à partir du moment où il y a une cité, une vie urbaine, une masse organisée et où l'économie de la survie cède la place à celle du superflu et du luxe, conditions réunies à une vaste échelle à l'époque de la Renaissance. C'est dans un contexte urbain que peut émerger la dialectique sociale fondamentale de la mode : se fondre dans la masse ou sortir du lot, disparaître ou apparaître, disparaître pour mieux gouverner dans l'ombre, ou apparaître pour paraître, se distinguer, être distingué, remarqué, imité, suivi et obtenir ainsi un ascendant. Selon les époques, et les enjeux politiques en toile de fond, les auteurs préconisent de suivre l'autorité de la mode ou d'être soi-même l'auteur de sa propre mode. Ainsi, la mode qui rassemble le corps social peut aussi le diviser, lorsque différents groupes analysent différemment les mêmes signes. La mode exprime, porte à la surface, offre au regard, manifeste les conflits intérieurs, les désirs, les pulsions créées chez l'homme par la vie en société, en société urbaine et capitaliste.

En ce qu'elle touche les vêtements, le maquillage et les coiffures, la mode régit la surface de contact entre soi et les autres. C'est dans cette surface, à la fois zone d'échange et support de l'apparence, que se noue et se joue le paradoxe de la mode frivole et pourtant sérieuse, superficielle et pourtant capitale. Cette seconde peau entre soi et les autres est à la fois une carapace qui protège l'individu de l'extérieur et une « sécrétion » qui lui permet d'exprimer son intérieur, de donner à lire des signes, véridiques, fictifs ou mensongers. Toute l'histoire occidentale de la philosophie est marquée par cette tendance à assimiler l'opposition entre intérieur et extérieur à l'opposition du vrai et du faux, et on retrouve chez de très nombreux auteurs la question de l'artifice. Il suffit de penser à la très ancienne tradition du carnaval – et les renversements hiérarchiques qu'autorise, un bref moment, cette soupape de sécurité du corps social – pour saisir toute les perturbations et bouleversements sociaux que recèle la mode et donc le danger qu'elle représente.

Outre le corps social et le corps individuel, le troisième pôle qui émerge à la lecture des textes collectés est temporel. La mode entretient des rapports privilégiés avec les trois temps. Plus encore que l'architecture et la décoration, c'est la mode vestimentaire qui nous donne le *sentiment* d'une époque passée, qui nous permet de dater infailliblement une image ancienne. Seule la photographie rivalise avec la mode dans cet accès immédiat au passé. Ce plaisir du passé explique le succès des modes « retro » ou « revival », qui ne font que simplifier et accentuer un trait constitutif de la mode qui est de « faire du neuf avec du vieux », de proposer une nouveauté constituée d'éléments anciens recomposés. La mode entretient un rapport tout aussi fort avec l'avenir, comme le rappelle constamment l'emploi du futur dans les journaux de mode. Avant de se réaliser, les modes vivent dans les prévisions des rédactrices, dans l'imaginaire des lanceurs de mode. Ce mode futur, c'est celui du désir.

Quant au temps présent, le plus insaisissable et abstrait, la mode pourrait lui donner un goût, une saveur, quelque chose de sensuel. Mais en mode aussi, le « goût du jour » est sans cesse rongé et réduit par le démodé – le passé à pas de géant – et la nouvelle tendance annoncée – le futur presque déjà-là ; au point que Georges Perec définit la mode comme le contraire du présent.

C'est son rapport au temps qui fait de la mode un objet indéfinissable. Si les textes qui suivent permettent de cerner la mode et de passer en revue les différents éléments qui s'y rapportent, peu d'entre eux s'attaquent à la mode de front, par la question de l'essence, par la définition, et lorsqu'ils le font, c'est souvent pour en constater l'impossibilité. Et cela en raison même de l'être de la mode qui est plutôt une absence d'être. Ni être, ni essence, à peine un accident, la mode échappe à la définition par sa variété, son inconstance. Sa constante inconstance.

De la mode

Définition de la fantaisie

Allégorie de la tyrannie

Définition de la fantaisie

Si tous les textes de cette anthologie concourent à définir la mode, certains le font plus consciemment que d'autre. Cette première section réunit des extraits qui se donnent explicitement pour mission de circonscrire la mode – quitte à en constater l'impossibilité –, ou des passages qui parviennent en une formule lapidaire à définir le phénomène sous au moins un de ses aspects.

Miomandre se penche sur l'étymologie du mot – « Mode, c'est, étymologiquement, manière, façon » – et sur ses pérégrinations. Dictionnaires et encyclopédies confirment cette définition très large : « Usage passager qui règle la forme des objets matériels » ; « coutume, usage, manière de s'habiller ».

L'adjectif « passager » indique l'une des composantes et problématiques fondamentales du phénomène – le temps – amplement mise en jeu dans les définitions. D'un « usage passager », la mode glisse vers la « fantaisie » dans le Larousse, vers le « changement » et le « caprice » dans l'Encyclopédie. La récurrence du terme de « fantaisie » lorsqu'il s'agit de mode s'explique par la multiplicité de ses usages qui épousent de nombreux aspects de la mode : la folie (excentricité, tocade, frénésie), l'imagination (invention, phantasme, création), l'originalité (unicité, nouveauté, initiative) et le goût (humeur, envie, esprit). La mode met en jeu des périodes très longues et des intervalles infiniment courts :

« La tradition des peuples et la fantaisie du jour » dit Fargue. Son moteur est la nouveauté : « Les *modes* se détruisent & se succèdent continuellement, quelquefois sans la moindre apparence de raison, le bizarre étant le plus souvent préféré aux plus belles choses, par cela seul qu'il est plus nouveau » (Encyclopédie). Pour Miomandre, sa raison d'être consiste à tromper « la monotonie de vivre » et Cocteau la définit comme un « mouvement », une « inquiétude », « une secousse qui s'organise et devient un rythme ».

Outre la composante temporelle, ces textes définitionnels exposent la composante artificielle de celle qui trompe la monotonie. « Masque innombrable de la vie » pour Miomandre, elle est définie par Baudelaire comme « un essai permanent et successif de réformation de la nature ».

Enfin, ces extraits ne manquent pas d'indiquer la problématique sociale et politique qui traverse la mode, prise entre extravagance et conformisme. A la fois « manière individuelle de faire » pour le Larousse, et « espèce de folie générale » chez Fitelieu, elle est résumée par Grenaille à « un usage particulier au commencement, & puis communément receu ».

Désireux d'élargir la définition à une véritable compréhension et de rechercher, au-delà de la fantaisie généralement invoquée, les causes plus profondes de la mode, Fargue propose l'imitation, le climat, le commerce, l'oisiveté ou la vanité. D'autres dénoncent les excès inhérents à la mode, « être de folie » et « levain de la paste des vices » chez Fitelieu.

Mais ce sont ceux qui ont très consciemment tenté de définir la mode qui proposent l'idée la plus intéressante concernant cette définition. Pour Mercier la mode est justement ce qui échappe à la description : « il est impossible de peindre cet art, le plus vaste, le plus inépuisable, le plus indépendant des regles communes ». Miomandre avoue également son embarras, suggérant que la mode peut se saisir mais non s'expliquer, qu'il s'agit d'avoir le « sens » de la mode. Mais là où Miomandre évoque un « je ne sais quoi », et où Mercier attribue le caractère indéfinissable à l'immensité du domaine, d'autres suggèrent qu'il tiendrait à son absence d'être même. « Symptôme du goût de l'idéal » chez Baudelaire, la mode naît du Néant chez Fargue ; elle n'est pas une substance, à peine un accident et « plustost une chimère qu'une réalité » pour Fitelieu. Et c'est précisément ce qui fait sa puissance car, écrit-il, « n'estant rien, elle passe pour le fondement de tout ».

MODE s.f. (mo - de – lat. *modus*, manière.) Manière individuelle de faire, fantaisie : *Vivre à sa MODE. Un Dieu qu'on fait à sa MODE n'incommode pas.* (Bossuet) *La vertu est si nécessaire à nos cœurs, que, quand on a une fois abandonné la véritable, on s'en fait une à sa MODE.* (J.-J. Rousseau)

– Usage passager qui règle la forme des objets matériels, et particulièrement des meubles, des vêtements et de la parure : *C'est aux femmes à décider des MODES, à discerner le bon air et les belles manières ; tout ce qui dépend du goût est de leur ressort.* (Malebranche) *C'est la fantaisie plutôt que le goût qui produit tant de MODES nouvelles.* (Voltaire) *Le changement de MODES est l'impôt que l'industrie du pauvre met sur la vanité du riche.* (Chamfort) *Il faut satisfaire à la MODE comme à une servitude fâcheuse, et ne lui donner que ce qu'on ne peut lui refuser.* (Mme de Lambert) *Une femme serait au désespoir si la nature l'avait faite telle que la Mode l'arrange.* (Mlle de Lespinasse) *La MODE n'a jamais été que l'opinion en matière de costume.* (Balzac) *Les femmes n'ont que le sentiment de la MODE et non celui de la beauté.* (Théophile Gautier) *La MODE ne change que pour changer.* (Latena) *Une femme surtout doit tribut à la MODE.* (Boileau) *Par la MODE, du moins, la France est encor reine.* (Delille) *Un sage suit la MODE et tout bas il s'en moque.* (Destouches) *La MODE est un tyran dont rien ne nous délivre.* (Pavillon) *Selon ses facultés le sage s'accomode ; On ne voit que les fous esclaves de la MODE.* (Monfleury)

Grand dictionnaire universel du XXème siècle Larousse.

MODE, (*Arts*) coutume, usage, manière de s'habiller, de s'ajuster, en un mot, tout ce qui sert à la parure & au luxe ; ainsi la mode peut être considérée politiquement & philosophiquement.

[...]

MODE ; ce terme est pris généralement pour toute invention, tous usages introduits dans la société par la fantaisie des hommes. En ce sens, on dit l'amour entre les époux, le vrai génie, la solide éloquence parmi les savans, cette gravité majestueuse qui, dans les magistrats, inspiroit tout-à-la fois le respect & la confiance au bon droit, ne sont plus de mode. On a substitué à celui-là l'indifférence & la légereté, à ceux-là le bel-esprit & les phrases, à cette autre la mignardise & l'affé-terie. Ce terme se prend le plus souvent en mauvaise part sans doute, parce que toute invention de cette nature est le fruit du raffinement & d'une présomption impuissante, qui, hors d'état de produire le grand & le beau, se tourne du côté du merveilleux & du colifichet.

Mode s'entend encore distributivement, pour me servir des termes de l'école, de certains ornemens, dont on enjolive les habits & les personnes de l'un & l'autre sexe. C'est ici le vrai domaine du changement & du caprice. Les *modes* se détruisent & se succèdent continuellement, quelquefois sans la moindre apparence de raison, le bizarre étant le plus souvent préféré aux plus belles choses, par cela seul qu'il est plus nouveau. Un animal monstrueux paroît-il parmi nous, les femmes le font passer de son étable sur leurs têtes. Toutes les parties de leur parure prennent son nom, & il n'y a point de femme comme il faut qui ne porte trois ou quatre rhinocéros ; une autrefois on court toutes les boutiques pour avoir un bonnet au lapin, aux zéphirs, aux amours, à la comète. Quoi qu'on dise du rapide changement des *modes*, cette dernière a presque duré pendant tout un printems ; & j'ai ouï dire à quelques-uns de ces gens qui font des réflexions sur-tout, qu'il n'y avoit rien de trop extraordinaire eu égard au goût dominant dont, continuent-ils, cette mode rappelle l'idée. Un dénombrement de toutes les *modes* passées & régnantes seulement en France, pourroit remplir, sans trop exagérer, la moitié des volumes que nous avons annoncés, ne remontât-t-on que de sept ou huit siècles chez nos ayeuls, gens néanmoins beaucoup plus sobres que nous à tous égards[1].

Encyclopédie de Diderot et d'Alembert, article Mode.

Disons maintenant que la Mode est un usage particulier au commencement, & puis communément receu, & qui est bon ou mauvais suivant qu'il est approuvé des fols ou des sages, & qu'il regarde des sujects défendus ou indifférents.

Monsieur de Grenaille, *La mode,* 1642.

Qu'est-ce que la Mode ?
– Je serais bien embarrassé de vous la définir. De deux choses l'une, en effet : ou vous avez le sens de la mode, ou vous en êtes privé. Dans le second cas, tout ce que je pourrais vous dire ou rien ... Dans le premier, vous en savez plus que moi. – Mais encore ?
– Vous y tenez absolument ? ... Eh bien ! la mode, selon moi, c'est le seul procédé que nous ayons trouvé, nous autres, pauvres hommes, pour nous tromper sur la monotonie de vivre.
[...]
Mode. Il faut nous vêtir. Mais qu'il serait triste de porter tous les jours le même costume ! Alors (puisque, aussi bien, la première est immuable), changeons notre seconde peau. Mode. Mode toujours. Mode partout. La mode est le masque innombrable de la vie.

---

1. Afin de rendre la lecture plus aisée, l'orthographe des textes antérieurs à 1800 a pu être partiellement modernisée.

Puissance de la Mode.

Le monde entier est le domaine de la mode. Nous ne pouvons pas plus nous évader de la mode que de cet univers où les puissances mystérieuses nous ont placés.

Le métaphysicien et le psychologue.

Au fond, la mode n'a qu'un seul adversaire en ce bas monde : Le métaphysicien. Au nom de la certitude immobile, il récuse ce mouvement et cette inquiétude. Mais c'est la vie même qu'il condamne avec elle. Et déjà son collègue le psychologue, moins farouche, fait des coquetteries à la fugace déesse.

Digression linguistique.

Mode, c'est, étymologiquement, manière, façon. Or, quand le mot traversa la Manche, les Anglais l'adoptèrent en le prononçant *fashion*, forme sous laquelle il nous revint. Mais, plus avancés dans la politesse internationale, nous ne prîmes pas sur nous la liberté de lui restituer son ancienne apparence. Nous l'écrivîmes donc *fashion* et le prononçâmes (mais oui !) de même. Et cela nous fit un effet profondément exotique.

François de Miomandre, *La mode*, 1927.

En ce qui concerne la mode, prise dans son sens le moins secret, celui de la femme, par exemple, il est difficile d'établir des rapports entre ses expressions et celle de l'art. Les modes de l'art et la mode proprement dite se meuvent à des vitesses si différentes que leurs contacts ne s'établissent que dans les spectacles où les unes se déroulent sur la scène et les autres dans la salle, séparées par la rampe, par l'épée de feu d'un archange.

Mademoiselle Chanel déclare, à juste titre, que « la couture crée des choses belles qui deviennent laides, alors que l'art crée des choses laides qui deviennent belles ».

Parole profonde qui, peut-être lui conseilla d'abandonner son règne après avoir prouvé aux femmes que les bijoux peuvent orner la laine et que les cheveux courts ne sont pas seulement le privilège des hommes. Le réflexe d'un esprit actif est une révolte contre une pente. Cette révolte provoque une secousse et cette secousse une mode. C'est donc une secousse qui s'organise et devient un rythme. Un calme, aussi rude qu'une secousse, y succédera, surprendra, choquera et gênera jusqu'à ce que chacun l'adopte. Un autre choc changera le rythme. Et ainsi de suite.

Jean Cocteau, « La mode meurt jeune », 1951.

La mode doit donc être considérée comme un symptôme du goût de l'idéal surnageant dans le cerveau humain au-dessus de tout ce que la vie naturelle y accumule de grossier, de terrestre et d'immonde, comme une déformation sublime de la nature, ou plutôt comme un essai permanent et successif de réformation de la nature. Aussi a-t-on sensément fait observer (sans en découvrir la raison) que toutes les modes sont charmantes, c'est-à-dire relativement charmantes, chacune étant un effort nouveau, plus ou moins heureux, vers le beau, une approximation quelconque d'un idéal dont le désir titille sans cesse l'esprit humain non satisfait. Mais les modes ne doivent pas être, si l'on veut bien les goûter, considérées comme choses mortes ; autant vaudrait admirer les défroques suspendues, lâches et inertes comme la peau de saint Barthélemy, dans l'armoire d'un fripier. Il faut se les figurer vitalisées, vivifiées par les belles femmes qui les portèrent. Seulement ainsi on en comprendra le sens et l'esprit. Si donc l'aphorisme : Toutes les modes sont charmantes, vous choque comme trop absolu, dites, et vous serez sûr de ne pas vous tromper : Toutes furent légitimement charmantes.

Charles Baudelaire, *Curiosités esthétiques*, 1868.

Si l'on examine un peu longuement la mode, on trouve d'abord l'imitation, qui est son inspiratrice, son cœur et son électricité. Sans ce papier carbone fictif qui, pareil aux neuf copies des chaînes de bonheur, multiplie à l'infini la moindre nouveauté, pas de mode. Je sais bien que les vents alizés, l'équateur, les neiges éternelles, le génie subit d'un fabricant de vernis à ongles ou les décisions gratuites, la plupart du temps ratées, que prenaient pour occuper d'immenses loisirs certaines familles princières ou mondaines, faisaient naître la mode du Néant ...
[...]
Si l'on creuse la mode plus bas encore, on ne trouve plus rien, et l'on frémit... Non pas que le vide soit démodé ou simplement effrayant, mais il est inhabitable pour un être humain. [...] Nous avons besoin de modes. Or la mode est un grand mystère...
On l'explique par le climat, mais on peut aussi bien l'expliquer par le commerce ou par l'oisiveté, et mieux peut-être par la vanité.
[...]
Ce qui m'a mis sur la piste de la divinité à laquelle j'obéis comme tout le monde, et par gaîté de cœur, sans me laisser distancer par elle, sans la devancer non plus, ce sont les modes de l'esprit. Mais les modes de l'esprit sont invisibles. Elles sont de la famille des incertitudes, des

rêveries, des satisfactions et des rancunes. Certaines de ces attitudes ont déjà été remplacées par d'autres aussi tyranniques assurément, mais aussi charmantes. On n'est plus très friand de la nuit depuis quelques mois. Si l'angoisse faisait « chic » avant le centenaire du romantisme, les faits se portent terriblement cette année.

[...]

La tradition des peuples et la fantaisie du jour sont les plus sûrs garants de la mode, de cette mode dont l'abbé Delille a dit « qu'elle était reine », et que Balzac, qui avait du dandy bon enfant dans le colossal, définissait comme « l'opinion en matière de costume ».

Léon Paul Fargue, *De la mode*, 1945.

Nous n'ignorons pas que la reine Bérénice avoit de si beaux cheveux qu'ils donnerent leur nom à une constellation céleste. Nous avons lu que Sémiramis appaisa une sédition furieuse, en s'arrachant tout-à-coup de sa toilette, et se montrant sur son balcon le sein découvert et dans le désordre d'une femme à moitié déshabillée. On ne nous a pas laissé ignorer toute la coquetterie de la belle Hélene, qui alluma tant de feux, et qui occasionna une guerre qui, fameuse après trente siecles, retentit encore dans l'univers ; on nous a instruits que Jézabel, mangée par les chiens, mettoit du rouge : mais les poëtes anciens, quoique grands descripteurs, ne nous ont point représenté les modes de ces tems éloignés avec assez de vérité pour que nous puissions nous en former une juste idée.

Je sais qu'une bacchante échevelée, le tyrse en main, le front couronné de lierre, peut paroître aussi belle qu'une marquise coëffée en vergette ; je sais que les tuniques des dames romaines pouvoient avoir les graces

des robes ouvertes des européennes modernes ; je sais que leurs sandales ont pu recevoir l'élégance de nos souliers exhaussés et mignons ;
mais enfin qu'en coûtoit-il de nous donner la description de leur coëffure, de ses accessoires, de ses variations, et de son ensemble brillant ?
Pourquoi les écrivains n'ont-ils pas parlé de l'arrangement des cheveux ?
Pourquoi ont-ils négligé de nous faire connoître la base de l'admirable
édifice, où il commençoit, où il finissoit ? Où plaçoit-on la topaze et
la perle ? De quelle manière les fleurs étoient-elles entrelacées, etc ?
Qui les a donc empêchés de peindre la sphere mouvante des modes ?...
ah ! Je le sens moi-même, en voulant ici prendre le pinceau ; c'est qu'il
est impossible de peindre cet art, le plus vaste, le plus inépuisable, le
plus indépendant des règles communes. Il faut voir la beauté donnant
à son miroir le dernier coup-d'oeil de satisfaction, et puis admirer et se
taire.

Louis-Sébastien Mercier, *Tableau de Paris*, II, clxviii, 1781-89.

Il faut aller jusqu'aux espaces imaginaires ou le concave de la Lune,
pour entendre que c'est que Mode : Elle n'est pas une substance, parce
que son être ne consiste que dans une faible imagination, ou resverie
de quelques cerveaux mal timbrés, & tous les Philosophes ensemble ne
la scauraient définir, voire même se trouveroient bien en peine de la
décrire ; de la prendre pour un accident, c'est presque se tromper, à
tout le moins on a peine à le connaître puisque c'est plustost une chi-
mere qu'une réalité, ou si voulez une inhérence, s'il faut parler en termes. Nos François en parlent d'une manière que les Espagnols n'en-
tendent pas, les Espagnols luy donnent un habit inconnu aux Italiens,
& les Italiens la font tout autre que les Grecs ; & de toute autre nation

pas une ne s'accorde en sa faveur. Bien plus quatre François, qui rencontrent sur le Pont neuf, feront un chacun sa Mode, & le moindre Gascon qui passe, s'imaginera quelque chose pour en faire une diverse, de sorte que cette Mode n'est pas une, car il s'en rencontre autant que de Gascons, & autant de Gascons que de François. Encore la fait-on hermaphrodite, & si l'on la prend pour un monstre, il semble qu'on luy fait tort, elle est être de folie, & non pas de raison, à bien considérer l'extravagance qui la fait naistre, c'est une espece de folie générale que ceux qui semblent plus sages embrassent plus souvent. [...] Elle est plus forte que toutes choses, puis qu'il n'est rien qui ne la charge, jusques mêmes aux insensibles, de la nature elle ressemble au point Geometrique, & n'estant rien, elle passe pour le fondement de tout : C'est le principe de la vaine gloire sur lequel tourne tout le faste mondain, le levain de la paste des vices : pierre Philosophale du Diable, qui convertit tout ce qu'elle touche en vanité, grain de moustarde, qui n'étant comme point, devient si grand qu'il remplit tout le monde.

Monsieur de Fitelieu, *La contre-mode*, 1642.

ALLÉGORIE DE LA TYRANNIE

La tendance qu'a la mode d'échapper à la définition stricte explique qu'on ait tenté d'autres stratégies d'écriture pour la cerner. La prose laisse la place au vers et la ratiocination à la personnification. Les allégories qui suivent, d'une parfaite et étonnante homogénéité, sont l'occasion de redire par l'image l'être social et politique de la mode. La mode est d'abord un phénomène social qui émane du corps politique et le commente. Dans les allégories, cette essence politique de la mode prend les traits de la souveraineté. Qu'elle soit « de la divine essence » ou mortelle, la mode, presque toujours féminine – bien que Fargue en fasse un dieu –, est tour à tour « idole », « déesse », et reine : « reine des toilettes », « reine du falbala », « reine sereine et folle », ou « reine du monde ». Sa beauté, son élégance, son caractère irrésistible n'excluent pas les critiques attachées à sa position régnante, et elle est régulièrement accusée de tyrannie : « La Mode est un Tyran des Mortels respecté » lit-on dans un poème publié par le *Cabinet des modes*, ce que Balzac précise en remarquant que « comme tous les tyrans, la mode n'exerce entièrement son pouvoir que sur ceux qui sont trop faibles pour lui résister ». Dans un pamphlet anonyme, c'est la Mode en personne qui s'exprime et se présente comme : « Girouette Elégantine des Graces, Princesse de Frivolité, Duchesse de Bagatelle & Souveraine de l'Empire des Modes ». C'est Félix Dériège qui confère à la mode les plus immenses pouvoirs, puisque mieux qu'une reine, une impératrice ou une déesse antique, la mode devient chez lui l'équivalent féminin du Dieu de la Bible, la Déesse créatrice et démiurgique même, dans un texte parodiant la Genèse.

Dans l'allégorie, les causes et conséquences de la mode deviennent ses parents et descendants, et plusieurs auteurs lui prêtent toute une généalogie : « Mère du changement, et fille d'Inconstance », « Digne Enfant du Dégout & de la Nouveauté ». Voltaire en fait la fille de Protée, ce dieu marin de la mythologie grecque qui pouvait changer de forme à volonté. Ailleurs ses caractéristiques sont attribuées à son éducation, puisqu'elle aurait eu l'Inconstance comme nourrice et comme précepteur Momus, dieu grec de la critique, du ridicule et de la jovialité.

Son portrait et sa généalogie esquissés, la grande « emperière » est prête à occuper sa fonction. Souveraine, elle en possède les attributs : « pour sceptre un évantail » et pour trône « un miroir dont la glace infidèle/ Donne aux mêmes objets une forme nouvelle ». Reine ou impératrice, elle est d'abord législatrice : « Je fais tous les humains sous mes loix se ranger » ; « Elle écrit ses décrets profonds/Sur les rubans et sur la gaze... » ; « Lois, décrets, projets, arrêtés, comme disent les messieurs, tout est maintenant promulgué ». Certains vont privilégier le caractère autoritaire de ses décrets et parler des « arrêts de Sa Majesté la Mode », de ses « ordres absolus », et dire que « la Mode assujettit le Sage ». D'autres sont sensibles au fait qu'elle représente le plus grand nombre : Balzac dit qu'elle « prend enfin une allure constitutionnelle » et Mallarmé évoque « cette souveraine (qui, elle, est tout le monde !) ». Lorsqu'on lui attribue un royaume, il s'agit de Paris : « son empire est à Lutèce » ; et ses sujets sont les Français, avides comme elle de changement. C'est de la France qu'elle rayonne, dispersant ses ouvrages au-delà des mers, c'est de là qu'elle « donne le ton pour les modes aux Provinces les plus éloignées » et « étend bien-tôt les bornes de son empire » à toute l'Europe.

Au commencement, une foule de créatures charmantes ornaient les diverses contrées du monde élégant.

Et la Mode vit qu'il manquait un Roi à tous ces êtres qu'avaient formés son caprice.

Et elle dit :

« Faisons le Lion à notre image et ressemblance.

« Que le Boulevard soit son empire.

« Que l'Opéra devienne sa conquête.

« Qu'il commande en tous lieux du faubourg Montmartre au faubourg Saint-Honoré. »

Et le lion parut.

Alors il assembla ses sujets autour de lui et donna à chacun son nom en langue fashionable.

Il appela les unes *lionnes*. C'étaient des petits êtres féminins richement mariés, coquets, jolis, qui maniaient parfaitement le pistolet et la cravache, montaient à cheval comme des lanciers, prisaient fort la cigarette et ne dédaignaient pas le champagne frappé.

[...]

« Il nomma quelques-uns de ses sujets *panthères*. Ces féroces Andalouses, aux allures ébouriffantes, à l'œil de feu, se font remarquer par l'étalage luxuriant de leur coiffure, l'exagération de leurs crinolines, et cherchent incessamment sur l'asphalte un équipage à conquérir et un cœur à dévorer.

[...]

Et la Mode vit que son ouvrage était bon. »

Félix Deriège, Physiologie du lion, 1842.

De mai à septembre, d'octobre à avril, les femmes se prêtent au dieu qui en fait des vedettes, des papillons, des apparitions, des ondines. Il les inspire, il les rajeunit, il les décore de fraîcheur et d'amour.

Léon Paul Fargue, *De la mode*, 1945.

La Mode, à la bien exprimer,
D'esclave devient une idole :
Il faut l'encenser malgré soy,
Puisqu'elle veut estre servie,
Et qu'elle seule fait la loy
A la raison assujettie.

Anonyme, *Réponse à la critique des femmes, Sur leurs manteaux-volants, paniers, criardes ou cerceaux, dont elles font enfler leurs jupes* (1712), in *Recueil curieux...*

Un jour que mon humeur me rendoit solitaire,
Tout pensif et songeard, contre mon ordinaire,
Pour m'égayer un peu et pour passer le temps,
Je me deliberay d'aller jouer aux champs.
Mais, comme je sortais des portes de la ville,
Je regarde venir devers moy une fille,
Toute nuë de corps, de qui les cheveux blonds,
Voletans, descendoient jusques sur ses talons,
Changeante à tout moment la couleur de sa face,
Et toutesfois tousjours avoit bonne grace.
Dans une de ses mains elle avoit un cizeau,
Et dans l'autre portoit un taffetas fort beau,

Afin de s'en vestir ; mais, pour estre plus belle,
Elle sembloit chercher une forme nouvelle.

Enfin, comme je vis qu'elle approchoit de moy,
Je luy dis, tout surprins de merveille et d'esmoy :
[...]
« Au nom de Jupiter, dites-moy vostre nom ?
Que je face par tout voler vostre renom ! »

« Je ne desire pas me faire des autels :
Je ne suis que par trop congnüe des mortels :
Je ne te cherche pas pour me faire paroistre.
Ma force et ma vertu me font assez cognoistre ;
Toutesfois, je veux bien, puis que c'est ton plaisir,
Te disant qui je suis, contenter ton désir.
Je suis (comme tu dis) de la divine essence,
Mère du changement, et fille d'Inconstance ;
Jupin, Mars, Apollon, et le reste des dieux
Qui ont commandement dedans l'enclos des dieux
N'ont pas tant de pouvoir en ceste terre ronde,
Certainement, qu'en a mon humeur vagabonde
Je fais tous les humains sous mes loix se ranger,
Mais les François premiers qui aiment le changer,
Les François, qui leur nom ont rendu redoutable
Dedans tous les cantons de la terre habitable,
Viennent s'assubjettir à mon commandement,
Aimans, comme je fais, beaucoup le changement.
En leur langue commune, ils me nomment la Mode,
Car, ainsi que je veux, les hommes j'accommode. »

Anonyme, *Discours nouveau sur la mode* (1613), in *Recueil curieux...*

Il est une déesse inconstante, incommode,
Bizarre dans ses goûts, folle en ses ornements
Qui paraît, fuit, revient, et naît dans tout le temps
Protée était son père, et son nom est la mode.

Voltaire, cité dans le *Grand dictionnaire universel du XXᵉ siècle Larousse.*

La Mode, fille du caprice,
Naquit dans l'isle de Vénus ;
L'Inconstance fut sa nourrice,
Et son précepteur fut Momus ;
Mais son empire est à Lutèce.
Là, sur un trône de chiffons,
En évoquant Rome et la Grèce,
Elle écrit ses décrets profonds
Sur les rubans et sur la gaze...
Ses ministres, avec emphase,
En pet-en-l'air, en blanc corset,
Près d'elle opinent du bonnet ;
Comme au Conclave, avec sagesse,
Délibèrent sur des chapeaux ;
Ou bien, petits Colberts nouveaux,
Brodent des dessins qu'on adresse
Et jettent un voile à propos.
Là, cette reine des toilettes,
Ayant pour sceptre un évantail,
Envoie en tous lieux son travail
Et la beauté par estafettes,

Fait des Zéphyrs, des peuples rois,
Des Sybarites, des Romaines,
Crée un grand homme tous les mois,
Et tous les jours des phénomènes ;
Place l'esprit dans nos pourpoints ;
Le talent, dans les mélodrames ;
Enfin, changeant les corps, les âmes,
N'est constante qu'en deux seuls points :
La légèreté dans les femmes,
L'indulgence dans les époux !...

Anonyme, *Les toilettes du jour* (1806), in *Recueil curieux* ...

La Mode est un Tyran des Mortels respecté,
Digne Enfant du Dégout & de la Nouveauté,
Qui de l'Etat Français, dont elle a le suffrages,
Au-delà des deux mers disperse les ouvrages,
Amante avec succès leur immense cherté,
Selon leur peu d'usage ou leur fragilité.
Son Trône est un miroir dont la glace infidèle
Donne aux mêmes objets une forme nouvelle.
Les Français inconstants admirent dans ses mains
Des trésors méprisés du reste des humains.
Assise à ses côtés, la brillante Parure
Essaie, à force d'art, de changer la Nature.
La Beauté la consulte, & notre or le plus pur
N'achète point trop cher son rouge & son azur.
La Mode assujettit le Sage à sa formule ;

La suivre est un devoir, la fuir un ridicule.

Depuis nos Ornements jusque à nos Ecrits,

Elle attache à son gré l'estime ou le mépris ;

Et réglant tour à tour les rangs où nous sommes,

Met les Sot à leur place, & nomme les Grands-Hommes.

Par M. de B.

Cabinet des modes, neuvième cahier, 15 mars 1786.

Le Palais de la Mode

Il est un clair palais fait de cristal de roche,

Dans un nid de rosiers, au bord d'un fleuve bleu.

Les vases, les émaux, les verres de Lahoche

Y brillent sous l'argent des chandeliers en feu.

Dans le nuage gris qui sort des cassolettes

Folâtrent des oiseaux peints de mille couleurs,

Et, veloutés et frais comme des violettes,

Les divans parfumés se cachent dans les fleurs.

Sur leurs pâles coussins plus doux qu'une caresse,

Repose un front couvert des ornements royaux.

C'est le front triste et pur d'une jeune Déesse

Qui sous ses petits pieds foule mille joyaux.

Elle brise en jouant, comme un oiseau son aile,

Tous les hochets d'hier, cent caprices dorés,

Et rêve, en chiffonnant la soie et la dentelle,

Aux caprices nouveaux qui seront adorés.

Cette reine sereine et folle, c'est la Mode.
Cent filles de seize ans, nymphes aux fiers trésors,
Le long de leurs genoux, pour éclairer mon ode,
De leurs cheveux épars laissent flotter les ors.

Leurs ongles sont armés de l'aiguille féerique,
Et dans la blonde en fleur cisèlent un bonnet,
Comme Pétrarque, fils de la Grèce lyrique,
Pour la chaude Italie ébauchait le sonnet.

Elle sort de leur main voluptueuse et douce,
La pourpre qu'eût aimée un prince lydien,
Et, nuage de feu, ce cachemire où Brousse
Nous vend toutes les fleurs du soleil indien.

Et lorsque de New York, de Londres ou d'Asie,
Les reines des salons de tous les archipels
Disent : Quel nouveau charme et quelle fantaisie
Rajeunira demain nos attraits éternels ?

Mille petits Amours, cohorte aux ailes roses,
Du palais radieux s'envolent tout joufflus,
Et, traversant le ciel rempli d'apothéoses,
Portent à l'univers ces ordres absolus :

Demain, vous porterez ces étoffes de guêpe,
Satins d'or dont le rose illumine les bouts,
Et ces chapeaux tout clairs, faits de brume ou de crêpe
Où flotte la nuée en fleur des marabouts !

Avant que le raisin des Bacchantes mûrisse,
Pour refléter les feux et les lys de l'été,
Vous aurez ces bijoux en acier que Meurice
Fit clairs comme les flots du doux Guadalété !

Vous aurez ces peignoirs plus pâles que le marbre,
Ces bas tout découpés pour les yeux de l'Amour,
Et ces mouchoirs chinois faits d'une écorce d'arbre,
Et ces cols merveilleux bâtis de points à jour !

Et, près de ces bouquets si frêles du barège
Dont la grâce a tordu les faciles volants,
Voici les pompadours plus légers que la neige,
Fonds roses, fonds lilas, fond céleste et fonds blancs !

Voici les beaux jardins prédits par les sibylles,
Feuillaisons d'émeraude et bleuets de saphir,
Les rubis, les bouquets de lys à fleurs mobiles
Dont les gros diamants tressaillent au zéphyr.

Enfin, pour resplendir à vos tables insignes,
Nous avons les flambeaux gais comme des bijoux,
Et le linge pareil à la toison des cygnes,
Et les Eldorados entassés en surtouts !

Et le vermeil qui grimpe en mille architectures,
Soleils d'orfèvrerie et fils d'argent tramés,
Et tous ces paradis terrestres des sculptures
Arrachés par Klagmann aux métaux enflammés.

Nous avons fait fleurir l'ivoire des ombrelles
Et fixé parmi l'or les flammes de l'émail,
Et, pour mieux vous distraire, apaisé les querelles
De ces dragons chinois peints sur votre éventail.

Nous avons déchiré la poitrine de l'Onde
Pour y chercher la perle agréable à vos yeux,
Et, pour faire de vous les maîtresses du monde,
La Mode a fait éclore un monde merveilleux.

C'est pour qu'il brille mieux sur votre épaule pure,
Le myrte du désir, adorable et fatal,
Qu'elle chiffonne encor la soie et la guipure
Sur les coussins rosés du palais de cristal.

Pourtant, souvenez-vous, jeunes charmeuses d'âmes,
Que c'est le seul Amour dont le flambeau changeant,
En jouant autour d'eux, remplit de vagues flammes
Le satin, le velours et la toile d'argent.

Ah ! si Paris est roi parmi toutes les villes,
C'est que c'est le pays où l'Amour, d'un regard,
A fait naître, au milieu de cent guerres civiles,
Pour le chanter en vers son poëte Ronsard.

C'est que, lorsqu'on y sent passer comme une flèche,
Au milieu d'un éclat de parure et de voix,
Un essaim de péris au bord d'une calèche,
Parmi les feuillaisons, dans un nuage, au bois,

On peut dire à coup sûr, tout bas : Chacune d'elles,
En causant du dernier ballet ou des Bouffons,
Songe à quelque amitié belle entre les plus belles,
Et son cœur bat plus fort sous ces jolis chiffons.

C'est que là, quand la Valse autour d'une muraille
Fait bondir avec Strauss deux cents couples charmés,
Plus d'un regard sourit, plus d'une main tressaille
Dans l'humide prison de ses gants parfumés.

C'est que là, la Féerie amoureuse et le Rêve
Vivent parmi le luxe et les fleurs d'une cour
Et c'est là seulement que les filleules d'Eve
Ont lu jusqu'à la fin le roman de l'Amour.

Théodore de Banville, *Le sang de la coupe*, 1850.

Pitié suprême (extrait)

Dans les journaux singuliers
Qui lui sont particuliers,
La Mode, à ce qu'il paraît,
Dicte un arrêt.

Plus d'Invisibles ! et plus
D'épais voiles superflus.
La reine du falbala
Change cela.

Théodore de Banville, *Nous tous*, 1884.

Il est vrai qu'il invoquait, pour la faire venir au Grand-Hôtel de Balbec, non seulement « la chère exquise » et le « coup d'œil féerique des jardins du Casino », mais encore les « arrêts de Sa Majesté la Mode, qu'on ne peut violer impunément sans passer pour un béotien, ce à quoi aucun homme bien élevé ne voudrait s'exposer ».

Marcel Proust, *A l'ombre des jeunes filles en fleurs*, 1918.

La mode est la reine du monde !
Qui dispense à son gré les réputations, la fortune, l'esprit, les honneurs, l'honneur même ? La mode.
C'est elle qui, sous vingt noms différents comme ses caprices, crée, détruit, élève ou renverse les empires et les coiffures, les constitutions et la coupe des habits.
Il semble que ce soit pour lui servir de devise qu'ait été écrit le *pro ratione voluntas.*
« C'est la mode ! » ce mot répond à tout : soumise à sa magique influence, la France se montre tour à tour théâtrale sous Louis XIV, libertine sous le régent, économiste sous Turgot, passive sous Bonaparte, patiente sous Louis XVIII, et la voilà qui, depuis quelques mois, prend enfin une allure constitutionnelle.

Honoré de Balzac, « Méditations sur la mode », *Code de la Toilette,* 1828.

Lois, décrets, projets, arrêtés, comme disent les messieurs, tout est maintenant promulgué, pour ce qui est de la mode : et nul Message nouveau de cette souveraine (qui, elle, est tout le monde !) ne viendra nous surprendre d'une quinzaine ou de deux.

Stéphane Mallarmé, *La dernière mode,* 7ème livraison, 6 décembre 1874.

Quoi ! de son dais royal formé par les étoffes de tous les siècles (celle
que porta la reine Sémiramis et celles que façonnent à leur génie Worth
ou Pingat) la Mode, entr'ouvrant les rideaux ! se montre, subitement, à
nous, métamorphosée, neuve, future.

Stéphane Mallarmé, *La dernière mode*, 8ème livraison, 20 décembre 1874.

Une femme disait : *J'irais à Rome y chercher la mode, s'il le fallait.* Quelle
est cette déesse fantastique qui commande si impérieusement ? C'est de
son très exprès commandement que tout se fait, que les plumes tombent et se relèvent, que les chapeaux prennent toutes sortes de formes,
que les robes à l'anglaise, la robe en chemise, la robe à la turque, le
pierrot, le caraco, ont paru tour à tour sur la scène ; que le fichu très
ample sur le cou, nommé *fichu menteur*, donne l'idée d'une gorge saillante.
Les rebelles se soumettent, ou plutôt il n'y en a point dans son empire.
La toque et le peigne à chignon, ainsi que le cul de crin, ne peuvent se
dérober à la mode ; elle établit comme une grâce, ce qui était, il y a trois
mois, un ridicule.
Malgré la mode, une jolie femme a la liberté des ornements accidentels,
pourvu toutefois que sa désobéissance n'ait pas l'air d'une rébellion
décidée, encore moins d'une conspiration formelle ; mais il n'y a point
de femme assez audacieuse pour détrôner tout à coup la mode ; c'est
par des dégradations savantes et bien ménagées, qu'une femme aimable
ou jolie parvient à prendre à son tour le sceptre de l'empire ; les témé-
raires qui ont voulu tuer la mode en un jour, en ont été punies par la
verge du ridicule et par les brouhahas publics.

Louis-Sébastien Mercier, *Tableau de Paris*, XI, dccclvi, 1781-1789.

Girouette Elégantine des Graces, Princesse de Frivolité, Duchesse de Bagatelle & Souveraine de l'Empire des Modes. A tous Ducs, Marquis, Comtes, Barons, petits-Maîtres, Gens du bel air, Plaisans, Gens oisifs, Persifleurs, Chevaliers, Militaires, Abbés, Robins, *grands & petits* Financiers ; Duchesses, Comtesses, Marquises, Baronnes, petites-Maîtresses, Femmes du bon ton, Bourgeoises à la mode, Précieuses, Minaudières ... & autres nos Sujets : SALUT. Comme les Habitans de notre Capitale ont de tout tems donné le ton pour les modes aux Provinces les plus éloignées, nous avons cru qu'il étoit de notre devoir de veiller à ce que ces modèles devinssent plus parfaits de jour en jour. [...]

O sujets aimables, continuez d'étendre la réputation que nous donne l'Europe, d'aimer votre Reine, de sacrifier pour elle votre repos, vos biens & vos personnes : vous étendrez bien-tôt les bornes de son empire. Est-ce assez pour nous, d'avoir vu les Provinces adopter nos ajustemens *à la comète, à la frivolité, aux sourcils d'hanneton, à la cabriolet, à la conflans,* &c. Les Anglois entreprendre le voyage de notre Capitale pour faire l'acquisition des Cuisiniers que nous avions formé ; les Navets répandre des lumières sur l'Histoire naturelle ; les Amériquains passer les mers, pour venir voir en original une Coëffure *à la rhinocéros* ? Non : nos vûes sont plus étendues ; Nous en voulons à la conquête de l'Europe. Opinions provinciales, préjugés nationaux, tremblez. Craignez une Reine d'autant plus puissante qu'elle peut tout espérer de ses Sujets. A CES CAUSES, de l'avis de nos très-chères sœurs l'Inconstance et la Nouveauté, nous avons dressé les Articles qui suivent. [...]

Donné en la Capitale de notre Empire, l'an XLIX. des Bilboquets, III. des Pantins, II. des Navets, & I. des Cabriolets. *Signé,* GIROUETTE, &c, &C.

> Anonyme, *Déclaration de la Mode, Portant règlement pour les promenades du boulevard,* s. l. n. d.

Du temps

Variété

Temporalité

Expression

Variété

Destinée à tromper la monotonie de vivre, à introduire nouveauté et fantaisie dans le quotidien, la mode se caractérise par la bigarrure et la mutabilité.

Le terme de *bigarrure*, évocateur de couleurs variées et de motifs disparates, revient chez plusieurs auteurs. Cette variété chamarrée qui confine à l'extravagance prétend s'inspirer de la création elle-même et tente de refléter la diversité du monde dans les vêtements, les coiffures et le maquillage. « Tout nous inspire l'amour de la variété » écrit Caraccioli, qui s'en fait le champion, et Goudar et Marchand en constatent les effets dans « la bigarrure de l'ajustement des Françaises ». Multicolores comme des « arc-en-ciel », formant un véritable « parterre », leurs robes tentent de rendre compte du monde dans sa totalité : faune, flore, et même « mappemonde », tandis que chez Marchand, elles ambitionnent de reproduire dans leur coiffure une forêt, un quartier de Paris ou la voûte céleste même.

Plusieurs images reviennent pour caractériser la bigarrure. Il y a le caméléon, qui modifie sa couleur à volonté comme la Mode personnifiée dans *le Discours Nouveau...* changeait « à tout moment la couleur de sa face ». Il y a Protée, divinité marine aux formes labiles. Enfin, il y a le singe, que l'on croise régulièrement lorsqu'il est question de mode. Brant appelle le maquillage une « pommade de singe », Goudar voit sous chaque femme française « un singe en embuscade, caché dans quelque endroit de son jupon », Montaigne déplore que même les plus fins se laissent embabouiner par la mode et on verra plus loin Barbey d'Aurevilly comparer la femme en crinoline à un singe : « On les avait vues en cerceaux comme des singes, avec cette différence que le singe a l'esprit de passer à travers, et elles, la bêtise d'y rester ». Le singe imite, contrefait, grimace jusqu'à s'enlaidir, se ridiculise par ses pitreries.

Pourtant, c'est moins la variété simultanée ou bigarrure, que la variété temporelle ou mutabilité qui frappe ceux qui écrivent sur la mode. La « variance en habit » de Michault, la « variété d'accoustrement » de Piccolomini sont essentiellement perçues comme des phénomènes temporels et une nouvelle généalogie fait de la mode la fille du Temps lui-même : « fille de Saturne, ou du changement » elle connaît « mutations, changements, vicissitudes, altérations & métamorphoses ». Cette parenté de la mode et du temps confirme le caractère insaisissable – et a fortiori indéfinissable – de celle-ci, que résume Grenaille : « elle est maintenant autre qu'elle ne sera bientôt, & quoy qu'elle regne tousjours dans le monde elle n'y regne jamais de mesme façon. »

Quelques-uns accueillent favorablement ces changements comme signes de noblesse : « Car ceste varieté d'accoustrement [...] sent je ne scay quoy de gentil » ; ou de fantaisie : « tout changement m'est toujours le bienvenu, grâce auquel le spectacle de la vie s'agrémente de nouveauté et d'imprévu ». Certains se contentent de constater cette inclination des hommes qui confine souvent à l'absurde et au ridicule : « Il n'est pas de chose si risible ni si cruelle qui n'ait eu son temps de vogue » affirme Balzac, et Mourey compare la mode non plus au temps qui passe mais au temps qu'il fait : « Il en est de la mode comme de la météorologie ; et il ne faudrait pas plus s'étonner que la crinoline fît fureur demain, que d'être obligé de faire du feu en pleine canicule ».

D'autres condamnent ces vicissitudes qui révèlent et entretiennent l'inconstance des humains. La Bruyère nous invite à « admirer l'inconstance et la légèreté des hommes, qui attachent successivement les agréments et la bienséance à des choses tout opposées ». Montaigne avait déjà remarqué cette tendance qu'a la mode à provoquer chez les hommes des reniements – « La façon de se vestir presente, luy fait incontinent condamner l'ancienne » –, toujours plus fréquents – « capable de changer d'opinion et d'advis tous les mois, s'il plaist à la coustume » – et appelés à se redoubler lorsque des modes passées reviennent : « bien souvent les formes mesprisées reviennent en credit, et celles là mesmes tombent en mespris tantost apres ». Si « la mutation est à craindre », c'est que les valeurs approuvées sont la constance, la fidélité, la responsabilité et par-dessus tout l'identité. Le semblable plutôt que le différent, la stabilité plutôt que le mutabilité, l'immobilité plutôt que le mouvement. C'est Grenaille qui lève le voile sur le fondement judéo-chrétien de cette partition des valeurs : « & si Dieu est le premier, Createur des choses, la Mode en est le premier Principe transformateur. »

BIGARRURE

François accoustumez à nous biguarrer, (non pas moy, car je ne m'habille guiere que de noir ou de blanc, à l'imitation de mon pere,)...

Michel de Montaigne, *Essais*, I, xxxv, 1595.

Vivent les objets qui varient. Les goûts, aussi multipliés que les visages, ont moyen de tous se satisfaire. Tout nous inspire l'amour de la variété. Le soleil par ses éclipses, la lune par ses phases, le firmament par ses nuages, le temps par ses saisons, la mer par son flux, la terre par ses fleurs, les oiseaux par leur plumage, les philosophes par leur système, les ministres par leurs projets, les écrivains par leurs contradictions, les amants par leur légèreté, les coquettes par leur galanterie, tous les hommes par leur caractère, toutes les femmes par leur humeur. [...]
Prédicateur perpétuel de la variété, il [le petit-maître] l'affiche sur ses habits, dans ses regards, dans ses gestes, dans ses postures, dans sa démarche, dans sa croyance et dans son langage tout en expressions nouvelles et tout en superlatifs exquis : il ne donne pas le temps de pouvoir le peindre. Je le vois s'enfoncer dans un fauteuil pour bouder et déja il cabriole, je l'entends crier contre les femmes au moment qu'il les encense, il s'extasie à la vue d'une nouvelle étoffe et à peine est-elle coupée que déja il la rejette, il fait appeler chaque jour de nouveaux perruquiers et de nouveaux tailleurs et chaque jour il arbore une frisure et un habit d'un goût tout extraordinaire, il tempête pour avoir ses gens et lorsqu'ils paraissent il leur demande ce qu'il doit leur dire, il va passer la journée dans une maison et déja il en est sorti pour courir chez

tout le monde, il ne peut plus souffrir l'ambre et s'en fait apporter des magasins, il fait atteler et se met au lit, il veut écrire et il ne cesse de se promener, en un mot il rit d'un œil et pleure de l'autre, il épanouit le front et il fronce les sourcils, il travestit son visage de toutes les manières et il laisse à douter s'il est pantin, caméléon, singe ou Protée lui-même. [...]

Quelle ample matière que le chapitre des femmes pour parler de la variété. Galantes, médisantes, exigeantes, inconstantes, causeuses, voluptueuses, capricieuses, curieuses, rieuses, pleureuses, artificieuses, fougueuses, joueuses, futiles, indociles, vaines, hautaines, badines, mutines, elles offrent tour à tour, et souvent tout à la fois, le tableau le plus mouvant qu'on puisse voir.

Louis-Antoine de Caraccioli, *Le livre de quatre couleurs*, 1757.

Je ne te parlerai point de la bigarrure de l'ajustement des Françaises ; il faudrait pour cela avoir fait un cours de physique expérimentale, étudié le système universel des couleurs, et suivi la nature dans toutes ses gradations.

Chaque femme est ici un véritable arc-en-ciel ; elle est nuancée depuis la tête jusqu'aux pieds. La couleur de rose, le violet, le pourpre, l'amarante, sont confondus ensemble dans sa parure. Une Parisienne a, pour l'ordinaire, la tête blanche, le col noir, le buste rouge, et les pieds gris. Le lilas est aujourd'hui la couleur dominante ; c'est elle qui prévaut, et qui a le dessus. L'ajustement du sexe en France forme un parterre, où l'on voit des arbres et des fleurs de toutes les saisons. Cette bigarrure ne se borne pas aux plantes et aux fruits ; leurs habits contiennent souvent des maisons, des châteaux avec leurs appartements ; il y en a qui portent des villes entières dans leurs robes ; de manière que leur ajustement forme une carte géographique. Quelques-unes y rassemblent la terre entière. Au côté droit est l'Afrique ; par devant, au-dessous de la ceinture, est la zone torride. Dans ce dernier cas, une femme peut être considérée comme une mappemonde. On y voit aussi des animaux de toutes espèces, des poissons, des oiseaux, des chiens, des chats, des rats, des crocodiles, des lions, des loups, des renards et d'autres. Lorsqu'on y fait bien attention, on ne trouve guère de femme en France, qui n'ait un singe en embuscade, caché dans quelque endroit de son jupon.

Ange Goudar, *L'espion chinois*, lettre xxxv, 1773.

Scène III

M. Duppefort, Madame Duppefort.

M. D

Eh bien, qui est-ce qui est venu pendant mon absence?

Mme

Un monde étonnant. D'abord ce riche banquier qui a fait venir des plumes de colibris pour sa filleule ; en second lieu, ce petit Abbé qui a fait un Poëme sur la coëffure des Odalisques ; troisièmement, Madame la Comtesse de Cavecreuse, qui veut absolument que vous lui fournissiez sur sa garniture le Jardin du Palais Royal avec le bassin, la forme des maisons, & surtout la grande allée avec la grille & le café.

M. D

En vérité, elle n'y pense pas. Une autre me demandera bientôt les

Thuileries, le Luxembourg, le Boulevard : les femmes du Marais voudront avoir la Place Royale ou l'Hôtel de Soubise. Mais n'importe, il faut satisfaire les gens pour leur argent.

Mme

Il est encore venu cette grande Marquise sèche, qu'on appelle Madame de la Braise, & qui est veuve depuis trois mois. Elle vous prie de mettre sur sa garniture un catafalque de goût pour son mari ; elle va quitter le grand deuil, & je ne sais si elle aspire à annoncer sa joie ou sa douleur.

M. D

Oui, nous pourrons mettre galamment de petits amours autour d'un cercueil, avec des torches hymenéales ou funéraires. Il n'y a point de sujet que l'on n'égaye avec de l'esprit. La teinte fait tout passer, jusqu'aux billets d'enterrement.

Mme

Il est encore venu Mademoiselle Duboiscommun, qui veut nous communiquer des idées miraculeuses, qui sont le produit de ses profondes méditations. Elle a fait la conquête d'un Anglois qui aime passionnément l'astronomie, & elle veut porter sur sa tête le soleil, la lune, les planettes, l'étoile poussinière & la voie lactée. Elle voudroit que tous ces astres fussent mouvants, & sur-tout qu'on vît beaucoup de cometes à crins & à queue, parce que son Anglois fournit les diamans pour les monter. [...] J'oublios de vous dire que Mademoiselle Fortendos a un galant qui est passionné pour la chasse. Dans le désir de lui faire un cadeau, elle voudroit avoir un assortiment qui figurât le bois de Boulogne ou le bois de Vincennes. La forêt paraoîtroit garnie d'animaux de toute espèce. Elle a de quoi fournir les fourrures pour figurer les bêtes terrestres & vous n'aurez à lui avancer que la volatille. Mais elle veut toute sa ménagerie pour le jour de St. Hubert où elle va à une grande partie de chasse au sanglier. Il s'agit de faire une surprise galante, un coup de théâtre.

Jean-Henri Marchand, *Les panaches ou les coëffures à la mode*, 1778.

Mais, à propos de *choûse*, c'est grand *choûse* de voir aujourdhuy tant de *choûse* mal en ordre. Les chappeliers se plaignent que tant de *choûses* nouvelles leur font perdre l'escrime et la fabrique des chapeaux : l'un les veut pointus en piramides, à la façon de pain de sucre, qui dansent, en cheminant, sur la perruque achetée au Palais, garnie de sa moustache, derrière l'oreille ; autres les veulent plats, à la cordelière, retroussez en mauvais garçon (pour signe seulement), avec un pennache cousu tout autour, de peur que le vent ne l'emporte ; autres en veulent en façon de turban, ronds et peu de bords. Voilà donc le chapeau, la perruque moustachée, qui pend sur la fraize veaudulisée à six étages, qui touche le pourpoint de Gygès inconstant, visible aujourdhuy, demain sans forme ni couleur.

Anonyme, *La mode qui court et les singularitez d'icelle, ou l'ut, ré, mi, fa, sol, la de ce temps* (1612), in *Recueil curieux...*

La France plus que Province du monde inconstante, grosse d'inventions en produict, & enfante tous les jours de nouvelles. Le Docte du Bartas s'en plaignoit de son temps, parlant du mignon François.

quique non affeté
Des estrangeres moeurs cherche la nouveauté

Et ne mue inconstant si souvent de chemise
Que de ses vains habits la façon il déguise.

C'est bien pis au temps où nous sommes, auquel l'on porte la barbe pointue, les grandes fraizes, les chapeaux hors d'escalade, & d'autres en preneurs de taupes, l'espee la pointe haute, bravant les astres, & crains encores à l'avenir un plus grand desbordement de mœurs & humeurs : chose beaucoup plus dangereuse que la superfluité des habits.

[...]

Je ne tance point par ces armes les braves guerriers genereux enfans de Mars, qui pour estre amoureux de la belle Venus, ne laissoient de se trouver aux lieux d'honneur, & faire leur devoir à la guerre : le paquet s'adresse à certains plumets, qui n'auroient le courage de voir esventer une veine, & cependant les braves Capitaines en temps de paix veulent être estimez des Achilles, des Hercules, & assis aupres de leurs Dames, font à tout propos des rodomontades, qu'on dirait à les ouyr parler qu'ils avaleroient des charrettes ferrees, prendroient la Lune avec les dents, mettraient le Soleil en capilotade, que si on demandoit à tels preneurs de papillons, vrays Prothées & Chameleons de Cour, pourquoy ils changent si souvent de face & grimasse : ils répondront que leur habit, leur demarche, & leur barbe est à l'Espagnolle : il vaudroit mieux les imiter en ce qui est de vertueux & loüable, non seulement en eux, mais en toutes les nations du monde : car nous devons sans distinction de personnes, sexes ni qualités, naturaliser la vertu estrangere, & si pour lors on n'a assez de se vestir à l'Espagnolle, Italienne & Taupinambourde, qu'on s'habille à la Bragamasque à bonne heure.

Anonyme, *Le courtisan à la mode*, 1622.

Le corps est composé de divers peuples pour faire un monstre, il est Espagnol jusques à la ceinture. Dès la ceinture en bas Italien, & pour connaître s'il est François vous n'avez à prendre garde qu'à sa bigarrure qui le sépare des Etrangers, vous n'avez jamais vu tant de sortes de colets & de manchetes, de porte espees, & de canons pour faire l'homme à la mode, & ce pendant après trois jours, s'il ne change, il ne l'est plus.

Monsieur de Fitelieu, *La contre-mode*, 1642.

> D'un autre point je vous veux avertir
> Qui se nomme variance en habit
> C'est à dire qu'il vous convient vestir
> Diversement et tous les jours guerpir
> Vos vêtements puis bleu, puis blanc, puis bis.
> Faites huy long comme Maître Rabis
> Et demain court tout descope menu
> C'est le moyen qui doit être tenu
>
> Huy souliers ronds et demain à long bec
> L'un cordouan et l'autre soit basenne
> Tous découpé par dessus s'il fait sec
> Et vos chapeaux que de hic que de hec
> Vous faut porter à la plume de quenne
> Mais ne faites de vos habits garenne
> Sont ils huy fait ennuy les faut donner
> Et tot sur pies des autres ordonner

Pierre Michault, *Le doctrinal de court*, 1522.

BORACHIO. – Cela prouve combien tu es inexpérimenté ; tu sais que la mode d'un pourpoint, d'un chapeau ou d'un manteau n'ajoute rien à un homme.

CONRAD. – Oui, ce n'est que le vêtement.

BORACHIO. – Je te parle de la mode.

CONRAD. – Oui, la mode n'est qu'une mode.

BORACHIO. – Bah ! autant dire qu'un fou n'est pas fou. Ne vois-tu pas que la mode n'est qu'un fléau grotesque ?

PREMIER GARDE, *à part.* – Je connais ce *Grotesque*-là : c'est un affreux voleur qui depuis sept ans s'introduit partout comme un gentilhomme : je me rappelle son nom.

BORACHIO. – N'as-tu pas entendu quelqu'un ?

CONRAD. – Non ; c'était la girouette sur le toit.

BORACHIO. – Ne vois-tu pas, dis-je que la mode n'est qu'un fléau grotesque ? Ah ! vois comme elle étourdit toutes les têtes chaudes, de quatorze à trente-cinq ans ! Tantôt elle les affuble comme des soldats de Pharaon peints sur une toile enfumée ; tantôt, comme ces Hercules rasés d'une tapisserie rongée de vers, qui ont la braguette aussi grosse que leur massue.

CONRAD. – Je vois tout cela, et je vois aussi que la mode use plus d'habits que l'homme. La mode ne t'a-t-elle pas si bien tourné la tête, à toi-même, que, pour me parler d'elle, tu as laissé de côté ton récit ?

William Shakespeare, *Beaucoup de bruit pour rien*, III, iii, 1598.

MUTABILITÉ

F. Je vous prie faictes-moy entendre par le menu le faict de s'habiller.

M. Je voudrais qu'une jeune Dame ne laissast gueres passer de jours sans changer d'accoustremens, et qu'elle choisist tousjours les plus belles façons et si elle a le jugement asses bon pour en inventer de nouvelle et belles, elle en doit souvent mettre quelqu'une en avant : mais si elle n'a pas asses d'invention d'elle mesme, il faut qu'elle suyve celles des autres qui sont trouvees, et estimees en avoir meilleure part. Je vous dy donc que la richesse de l'habillement consiste grandement à rechercher avec diligence, que le drap, soye, toille, ou autres estoffes, soient tousjours bien fines, et des meilleures qui se puissent trouver. Car s'abiller de gros drap, comme vous en cognoissez quelques unes, ne peult avoir sinon mauvaise grace. D'avantage l'habillement doit estre ample et plantureux : mais non tant que cela puisse apporter empeschement. Et n'importe pas peu d'avoir l'accoustrement ainsi ample, car il n'y a rien de si mauvaise grace, que de veoir aller une Dame avec un accoustrement affamé, comme j'entends vous dire cy-après en vous discourant les particularitez. Je veux encores que les accoustrements ainsi amples, soient enrichis de bandes, découpeures, esgratigneurs, broderies, et autres semblables : Et quelquefois qu'elles soient toutes simples car ceste varieté d'accoustrement grande parade, et sent je ne scay quoy de gentil.

F. Mais j'aurois plustot peur que cela remarquast quelque bizarrerie de cerveau accompagnee de peu de constance, qui n'est pas une petite tache.

M. Cela seroit bien vray : si une jeune Dame faisoit paroistre cette

legereté en ses autres actions : Mais se faisant cognoistre pour sage et
accorte en toutes les affaires, ceste varieté en accoustremens ne luy
sçauroit tourner sinon à grandeur et aornement. Sur tout l'on remarque
la richesse de s'abiller à avoir souvent robbes neuves, et ne porter
jamais mesme accoustrement, je ne veux pas dire beaucoup de sepmaines,
mais au moins beaucoup de mois.

Alessandro Piccolomini, *Instruction pour les jeunes dames*, 1597.

J'ai acheté pour me faire une robe de chambre une étoffe comme votre
dernière jupe. Elle est admirable. Il y a un peu de vert, mais le violet
domine ; en un mot, j'ai succombé. On voulait me la faire doubler de
couleur de feu, mais j'ai trouvé que cela avait l'air d'une impénitence
finale. Le dessus est la pure fragilité, mais le dessous eût été une volonté déterminée qui m'a paru contre les bonnes mœurs ; je me suis
jetée dans le taffetas blanc. Ma dépense est petite.

Madame de Sévigné, *Correspondance* (1671).

Les évolutions de la mode féminine seraient bien faites pour décon-
certer les observateurs raisonnables, s'il y avait encore aujourd'hui des
gens capables de faire raisonnablement quoi que ce soit... même observer ; [...] Pourquoi, d'ailleurs, la raison interviendrait-elle en cette
affaire, où, à aucune époque, depuis qu'il y a des femmes et que leur
coquetterie naturelle leur interdit d'aller nues, personne n'a songé à se
plaindre qu'elle n'y intervint pas ? [...] Et louons la cause efficiente qui
veut qu'il y ait tout à coup entre la façon de se vêtir et de se parer qu'a-
vaient les femmes il y a deux mois à peine, et celle qu'elles ont depuis

huit jours, autant de différence qu'entre celle qu'elles avaient sous le Directoire, et celle qu'elles ont eue sous le second Empire ? Il en est de la mode comme de la météorologie ; et il ne faudrait pas plus s'étonner que la crinoline fît fureur demain, que d'être obligé de faire du feu en pleine canicule. Qui aurait l'humeur assez maussade pour n'en être satisfait ? Quant à moi, tout changement m'est toujours le bienvenu, grâce auquel le spectacle de la vie s'agrémente de nouveauté et d'imprévu.

Gabriel Mourey, « Les caprices de la ligne », *Gazette du bon ton*, 1913.

L'on blâme une mode qui divisant la taille des hommes en deux parties égales, en prend une tout entière pour le buste, et laisse l'autre pour le reste du corps ; l'on condamne celle qui fait de la tête des femmes la base d'un édifice à plusieurs étages dont l'ordre et la structure change selon leurs caprices, qui éloigne les cheveux du visage, bien qu'ils ne croissent que pour l'accompagner, qui les relève et les hérisse à la manière des bacchantes, et semble avoir pourvu à ce que les femmes changent leur physionomie douce et modeste en une autre qui soit fière et audacieuse ; on se récrie enfin contre une telle ou une telle mode, qui cependant, toute bizarre qu'elle est, pare et embellit pendant qu'elle dure, et dont l'on tire tout l'avantage qu'on en peut espérer, qui est de plaire. Il me paraît qu'on devrait seulement admirer l'inconstance et la légèreté des hommes, qui attachent successivement les agréments et la bienséance à des choses tout opposées, qui emploient pour le comique et pour la mascarade ce qui leur a servi de parure grave et d'ornements les plus sérieux ; et que si peu de temps en fasse la différence.

Jean de La Bruyère, *Les caractères*, 1688.

J'excuserois volontiers en nostre peuple de n'avoir autre patron et regle de perfection, que ses propres meurs et usances : car c'est un commun vice, non du vulgaire seulement, mais quasi de tous hommes, d'avoir leur visée et leur arrest, sur le train auquel ils sont nais. Je suis content, quand il verra Fabritius ou Lælius, qu'il leur trouve la contenance et le port barbare, puis qu'ils ne sont ny vestus ny façonnez à nostre mode. Mais je me plains de sa particuliere indiscretion, de se laisser si fort piper et aveugler à l'authorité de l'usage present, qu'il soit capable de changer d'opinion et d'advis tous les mois, s'il plaist à la coustume : et qu'il juge si diversement de soy-mesme. Quand il portoit le busc de son pourpoint entre les mammelles, il maintenoit par vives raisons qu'il estoit en son vray lieu : quelques années apres le voyla avalé jusques entre les cuisses, il se moque de son autre usage, le trouve inepte et insupportable. La façon de se vestir presente, luy fait incontinent condamner l'ancienne, d'une resolution si grande, et d'un consentement si universel, que vous diriez que c'est quelque espece de manie, qui luy tourneboule ainsi l'entendement. Par ce que nostre changement est si subit et si prompt en cela, que l'invention de tous les tailleurs du monde ne sçauroit fournir assez de nouvelletez, il est force que bien souvent les formes mesprisées reviennent en credit, et celles là mesmes tombent en mespris tantost apres ; et qu'un mesme jugement prenne en l'espace de quinze ou vingt ans, deux ou trois, non diverses seulement, mais contraires opinions, d'une inconstance et legereté incroyable. Il n'y a si fin entre nous, qui ne se laisse embabouiner de cette contradiction, et esblouÿr tant les yeux internes, que les externes insensiblement.

Je veux icy entasser aucunes façons anciennes, que j'ay en memoire : les unes de mesme les nostres, les autres differentes : à fin qu'ayant en l'imagination cette continuelle variation des choses humaines, nous en ayons le jugement plus esclaircy et plus ferme.

Michel de Montaigne, *Essais,* I, xlix, 1595.

Platon en ses Loix, n'estime peste au monde plus dommageable à sa cité, que de laisser prendre liberté à la jeunesse, de changer en accoustrements, en gestes, en danses, en exercices et en chansons, d'une forme à une autre : remuant son jugement, tantost en cette assiette, tantost en cette la : courant apres les nouvelletez, honorant leurs inventeurs : par où les mœurs se corrompent, et les anciennes institutions, viennent à desdein et à mesprix.

En toutes choses, sauf simplement aux mauvaises, la mutation est à craindre : la mutation des saisons, des vents, des vivres, des humeurs. Et nulles loix ne sont en leur vray credit, que celles ausquelles Dieu a donné quelque ancienne durée : de mode, que personne ne sçache leur naissance, ny qu'elles ayent jamais esté autres.

Michel de Montaigne, *Essais,* I, xliii, 1595.

Si l'on recherchait dans les annales de la mode toutes les bizarreries, les sottises, les ridicules qu'elle a fait peser sur l'espèce humaine, on serait jeté dans un étrange étonnement. Source des plus grandes choses comme des plus misérables excès, elle a de tout temps été l'arme la plus puissante entre les mains des gens assez habiles pour la diriger. Il n'est pas de chose si risible ni si cruelle qui n'ait eu son temps de vogue. Sous Louis XIV, la musique de Rameau et les empoisonnements étaient à la mode.

Honoré de Balzac, « Méditations sur la mode », *Code de la toilette*, 1828.

DISCOURS COMMODE POUR S'ACOMMODER PLUS COMMODÉMENT À LA MODE DE L'INTELLIGENCE DU PASQUIL DE LA MODE.

La mode est une des antiques Déesses qui ait jamais été sous le Ciel, elle s'est vue toujours renouvellée de temps en temps, de siècles en siècles, & presque de jour à autres : c'est à bon droit que le Poëte l'appelle fille de Saturne, ou du changement, vu qu'il n'y a moment ou elle ne prenne une nouvelle forme, de sorte qu'à juste titre on la pourroit nommer la sœur unique du chapeau de Tabarin : *indiferens ad omnes formas* : car elle a toute son humeur : ses mutations, changements, vicissitudes, altérations & métamorphoses peuvent grandement authoriser mon discours, & faire cognoistre combien avec grande industrie, elle a principalement gravé ses loix en France, jusques mêmes chez les boulangers qui font du pain à la mode & les taverniers qui ont du vin à l'OCCASION.

Toutesfois comme toutes choses ont leurs courses, & que tout ce qui est en la nature tire de jour à autre grandement au déclin, la MODE s'en allée & nous a laissé une de ses sœurs en sa place, qui est la NÉGLIGENCE Nimphe courtisée également & des grands & des petits, car on n'apelle plus colets, rabats, cotillons, manteaux, & autres menues bagatelles, à la MODE : ains à la NÉGLIGENCE. Le Palais n'est plain que de gans à la négligence, de manchons à l'occasion, de fraises à la négligence, chacun veut friser ses cheveux à la négligence, bref jamais la négligence n'eut tant de vogue pour les modes.

Bien que ce petit Pasquil parle de la Négligence il n'est pourtant à négliger, il y a des leçons pour tout le monde on sera bien aise de voir la mode nouvelle qui court.

Pasquil sur la mode

La MODE est un vrai Prothée
Qui se change à tout moment
Elle n'est point arrêtée
Sinon en son changement
Ce n'est que mutation
Chacun fait à sa méthode
Chacun fait à sa façon,
Et maintenant dans la France
On ne fait rien à la mode
Mais tout à la NÉGLIGENCE.

Porter des chappeaux pointus
Avec un ruban de soye,
Avoir les bords abbatus
De crainte qu'on ne vous voye
Et les cheveux my partis,
Puis sous un flot qui ondoye
Les laisser pendre à long plis
Sur la iouë en abondance,
Ce n'est plus suivre la mode
C'est faire à la Négligence.
[...]
Les femmes ont eu leur part
De toute cette inconstance,
Elles ne vinrent trop tard
Pour savoir cette science,
C'est d'eux dont l'invention

De la mode a pris naissance,
C'est eux qui ont inventé
Tant elles ont de puissance,
Les premières la façon
De faire à la Négligence.

Anonyme, *La nouvelle mode de la cour, ou le courtisan à la négligence et à l'occasion*, 1622.

Or si les sujets qui sont comme j'ai dit dans une vicissitude perpetuelle sont si difficiles à décrire, comment pourray-je définir la Mode qui est la mesme vicissitude, & qui semble estre l'effet formel de tous les autres changemens ! En effet elle se trouve dans toute sorte de mouvemens, & a outre cela une mutabilité particulière : & si Dieu est le premier, Createur des choses, la Mode en est le premier Principe transformateur. Si le cœur humain est difficile à découvrir à cause de sa nature bizarre qui se cache en se manifestant à nous, la Mode ne l'est pas moins, puisque comme les cœurs & les volontez la changent, c'est elle qui change le cœurs & les vólontez. Il n'y auroit gueres de nouveautés approuvées si nous ne nous laissions emporter à des affections capricieuses. Et puis si le temps qui est la mesure de notre vie paraist inconcevable tant que nous vivons sur la terre, la Mode tient sans doute de ses proprietez, puisqu'elle est maintenant autre qu'elle ne sera bientôt, & quoy qu'elle regne tousjours dans le monde elle n'y regne jamais de mesme façon. On la voit tantost en vogue & puis en decry, on la détruit aprés l'avoir establie, & néantmoins il y a tousjours des modes, quoy que les modes changent tousjours. Enfin si le mouvement est comme l'écueil des esprits, nous pouvons dire que la Mode en est la pierre d'acchopement, & qu'il n'y a point de gens qui la définissent mieux que ceux qui avoüent qu'on ne la sçaurait définir.

[...]

On peut donc dire que le Principe le plus general de la Mode c'est l'esprit humain, qui n'estant presque jamais dans une mesme posture, se plaist à changer toutes les choses qui relèvent de son Empire.

[...]

Or quand j'approuve icy des Modes, qu'on ne pense pas que je veuille loüer icy tous les caprices des extravagants ou des fanfarons : je tiens le party de la gentillesse, & non pas de l'impertinence.

[...]

Si vous regardez la Terre, vous trouverez qu'elle a de l'inclination pour prendre à certains temps une nouvelle robe, & qu'elle fait par un instinct aveugle ce que nous faisons par Raison. Certes à voir ses changements on diroit que ce n'est pas elle même, vu qu'elle prend tous les jours de nouvelles formes. Vous vous souvenez qu'elle estoit verte, vous voyez cependant qu'elle a jauny, & vous la verrez bien-tost blanche durant l'hyver, si durant l'Esté elle a pris toutes autres sortes de couleurs.

Monsieur de Grenaille, *La mode*, 1642.

... car les modes changent, étant nées elles-mêmes du besoin de changement –

Marcel Proust, *A l'ombre des jeunes filles en fleurs*, 1918.

TEMPORALITÉ

Fille de Saturne, la mode entretient des rapports complexes avec le temps. Pour documenter la rapidité avec laquelle une mode chasse l'autre, une série de trois lettres de Madame de Sévigné s'est imposée. Avec son fond réel et ses dates, le genre épistolaire est le dépositaire idéal des réflexions quotidiennes ou hebdomadaires occasionnées par une nouvelle mode qui se répand comme une traînée de poudre. Le 18 mars 1671, la nouvelle coiffure est décrétée « la plus ridicule chose qu'on peut s'imaginer », trois jours plus tard la marquise se déclare « rendue » et trouve déjà insupportable la mode précédente, qui devient vieille moins d'un mois plus tard. Ces trois lettres nous offrent d'assister à la naissance d'une mode en temps réel.

Comme pour commenter ce témoignage d'époque, les textes qui suivent constatent la fulgurance de la mode et son caractère éphémère. La Bruyère résume le phénomène : « Une mode a à peine détruit une autre mode, qu'elle est abolie par une plus nouvelle, qui cède elle-même à celle qui la suit, et qui ne sera pas la dernière : telle est notre légèreté ». De fait, le vieillissement prématuré des modes se traduit dans le vocabulaire : d'aucuns parlent des *« vieilles modes* de l'année précédente » et les Goncourt rapportent le cas d'un coiffeur qui avait pris l'habitude de « dire *autrefois* pour *hier* ». Ce vieillissement prématuré des modes affecte aussi celles qui les arborent : « Le fils méconnaît le portrait de sa mère, tant l'habit avec lequel elle est peinte lui paraît étranger » et « les filles se trouvent autrement faites que leurs mères ». L'image de Miomandre résume la puissance, la fragilité et la fulgurance de la mode : c'est une boule de neige. Et de fait, Cocteau propose deux variations sur le thème « la mode meurt jeune ». Si Cocteau semble ému par le sort de cette jeune fille « condamnée depuis sa naissance », « presque morte avant de vivre » et qui devient le mal qui l'emporte, une « épidémie foudroyante », Gabrielle Chanel se réjouit de ce sacrifice nécessaire, consciente que « la mode doit mourir et mourir vite, afin que le commerce puisse vivre ». Dans les propos que recueille Paul Morand, Chanel pose sous la forme d'axiomes les relations liant mode et temps : « La mode a un sens dans le temps, aucun dans l'espace. » ; « La mode est une affaire de vitesse » ; « Plus la mode est éphémère et plus elle est parfaite ». Et elle précise un des aspects que prend cette relation, celle de la prévision, affirmant à propos du couturier : « Le génie, c'est de prévoir ».

De fait, la mode se conjugue au futur. Comme pour compenser la brièveté de son présent, la mode passe une partie de sa vie dans les effets d'annonce, ce qu'illustre un poème de Banville, principalement au futur, par excellence le temps des chroniques de mode. Mallarmé, à qui cela n'avait pas non plus échappé, dissémine au gré de la gazette dont il signe les diverses rubriques sous plusieurs pseudonymes, tous les indices qui révèlent la relation de la mode au temps et à la prévision en particulier. L'unité de mesure de la mode est la saison, et on compte en « saison », « arrière-saison » et « saison prochaine ». L'unité supérieure est l'année et l'inférieure le jour. L'art de la chroniqueuse de mode est similaire et parallèle à celui du couturier : il s'agit de prévoir. Entre météorologie et augure, astronomie et astrologie, science et magie, elle livre au jour le jour à ses lectrices ses visions sur la mode définie comme « le Goût général de la Saison », rappelle l'essentiel dans une

« étude en deux feuillets du Goût du Jour » et prédit « le *changement de décor* de la Saison ». Et tout est question d'à-propos, de pertinence temporelle, ni trop tôt, ni trop tard : « Trop tard pour parler des modes d'été et trop tôt pour parler de celles d'hiver (ou même d'automne) » ; « regarder à deux mois et plus devant vous, ce qui est beaucoup quand il s'agit de Modes ». Et lorsqu'un courrier d'une lectrice imaginaire lui reproche d'avoir omis une prévision capitale, la chroniqueuse se justifie — « devancer la mode de plusieurs saisons peut être considéré par quelques-uns comme une infraction à notre véritable devoir, qui est de la *faire* au jour le jour. Jetons les yeux sur le présent et, au lieu de prévoir, regardons » — et triomphe : « Nous le prévoyions ! Rien de brusque et d'immédiat, dans le goût : en retard, non ; c'est en avance que j'étais ! » Walter Benjamin constate également le pouvoir qu'a la mode d'anticiper le futur et il se prend à rêver d'une mantique qui lirait l'avenir dans les vêtements.

Si la chroniqueuse Marguerite de Prony, alias Mallarmé, déclare que « la mode ne se répète pas », d'autres affirment le contraire et les derniers extraits du chapitre concernent la question de l'éternel retour en matière de mode, que Proust dénonçait déjà comme un lieu commun. Quelques explications à ce phénomène sont risquées : « Il n'y a de nouveau que ce qui a vieilli » avance Miomandre et Fargue propose : « la mode est fille de mode, elle crée avec ce qu'elle a créé ». Quant à Uzanne, il résume une autre opinion courante selon laquelle la mode la plus laide est toujours la dernière ou l'avant-dernière : « si une mode très rétrospective peut être considérée comme une curiosité, une mode vieille de quelques années seulement apparaît toujours comme un ridicule et seule la mode régnante, animée par la vie de celles qui la font valoir, semble incomparable et inattaquable. » La mode n'est belle et mode qu'au présent.

A Madame de Grignan
A Paris, ce [mercredi] 18e mars [1671]

Je fus voir l'autre jour cette duchesse de Ventadour ; elle était belle comme un ange. Mme de Nevers y vint, coiffée à faire rire ; il faut m'en croire, car vous savez comme j'aime la mode. La Martin l'avait bretaudé par plaisir, comme un patron de mode excessive. Elle avait donc tous les cheveux coupés sur la tête et frisés naturellement par cent papillotes, qui lui font souffrir toute la nuit mort et passion. Tout cela fait une petite tête de chou ronde, sans nulle chose par les côtés : toute la tête nue et hurlupée. Ma fille, c'était la plus ridicule chose qu'on peut s'imaginer. Elle n'avait point de coiffe. Mais encore passe, elle est jeune et jolie, mais toutes ces femmes de Saint-Germain, et cette La Mothe, se font testonner par la Martin. Cela est au point que le Roi et les dames sensées en pâment de rire. Elles en sont encore à cette jolie coiffure que Montgobert sait si bien : les boucles renversées, voilà tout. Elles se divertissent à voir outrer cette mode jusqu'à la folie.

A Madame de Grignan
A Paris, ce [samedi] 21 mars [1671]

Je vous mandai l'autre jour la coiffure de Mme de Nevers, et dans quel excès la Martin avait poussé cette mode ; mais il y a une certaine médiocrité qui m'a charmée, et qu'il faut vous apprendre, afin que vous ne vous amusiez plus à faire cent petites boucles sur vos oreilles, qui sont défrisées en un moment, qui siéent mal, et qui ne sont non plus à la mode présentement que la coiffure de la reine Catherine de Médicis. Je vis hier la duchesse de Sully et la comtesse de Guiche. Leurs têtes sont charmantes ; je suis rendue. Cette coiffure est faite justement pour votre visage ; vous serez comme un ange, et cela est fait en un moment. Tout ce qui me fait de la peine, c'est que cette fontaine de la tête, découverte, me fait craindre pour les dents. Voici ce que *Trochanire*, qui vient de Saint Germain, et moi, allons vous faire entendre si nous pouvons. Imaginez-vous une tête blonde partagée à la paysanne jusqu'à deux doigts du bourrelet. On coupe ses cheveux de chaque côté, d'étage en étage, dont on fait de grosses boucles rondes et négligées, qui ne viennent point plus bas qu'un doigt au-dessous de l'oreille ; cela fait quelque chose de fort jeune et de fort joli, et comme deux gros bouquets de cheveux de chaque côté. Il ne faut pas couper les cheveux trop court, car comme il faut les friser naturellement, les boucles qui en emportent beaucoup ont attrapé plusieurs dames, dont l'exemple doit faire trembler les autres. On met les rubans comme à l'ordinaire, et une grosse boule nouée entre le bourrelet et la coiffure ; quelquefois on la laisse traîner jusque sur la gorge. Je ne sais si nous vous avons bien représenté cette mode ; je ferai coiffer une poupée pour vous envoyer. Et puis, au bout de tout cela, je meurs de peur que vous ne daigniez prendre toute cette peine, et que vous ne mettiez une coiffe jaune comme une petit chère. Ce qui est vrai, c'est que la coiffure que sait Montgobert n'est plus supportable. Du reste, consultez votre paresse et vos dents, mais ne m'empêchez pas de souhaiter de pouvoir vous voir coiffée ici comme les autres. Je vous vois, vous me paraissez, et cette coiffure est faite pour vous. Mais qu'elle est ridicule à de certaines dames, dont l'âge ou la beauté ne conviennent pas !

De Madame de la Troche.

Mme de Sévigné a voulu avoir l'avantage de vous décrire cette coiffure ; mais, ma belle, c'est moi qui lui ai dicté. Madame, vous serez ravissante ; tout ce que je crains, c'est que vous ayez regret à vos cheveux. Pour vous fortifier, je vous apprends que la Reine, et tout ce qu'il y a de filles et de femmes qui se coiffent à Saint-Germain, achevèrent de se faire couper hier par La Vienne, car c'est lui et Mlle de La Borde qui ont fait toutes les exécutions. Mme de Crussol vint lundi à Saint-Germain, coiffée à la mode. Elle alla au coucher de la Reine et lui dit : « Ah ! madame, Votre Majesté a donc pris notre coiffure ? – Votre coiffure, madame ? lui répliqua la Reine. Je vous assure que je ne veux point prendre votre coiffure ; je me suis fait couper les cheveux, parce que le Roi les trouve mieux ainsi, mais ce n'est point pour prendre votre coiffure. » On fut un peu surpris du ton avec lequel la Reine lui répondit. Mais regardez un peu aussi où elle allait prendre sa coiffure, parce que c'est celle de Mme de Montespan, de Mme de Nevers, et de la petite de Thianges, et de deux ou trois autres beautés charmantes qui l'ont hazardée les premières. Je vous ai vue vingt fois prête à l'inventer ; cela me fait croire que vous n'aurez point de peine à comprendre ce que nous vous en écrivons. Mme de Soubise, qui craint pour ses dents parce qu'elle a déjà été une fois attrapée aux coiffures à la paysanne, ne s'est point fait couper les cheveux, et Mlle de La Borde lui a fait une coiffure qui est tout aussi bien que les autres par les côtés ; mais le dessus de sa tête n'a garde d'être galant, comme celles dont on voit la racine des cheveux. Enfin, ma pauvre Madame, il n'est point question d'autre chose à Saint-Germain. Moi, qui ne me veux point faire couper les cheveux, je suis ennuyée à la mort d'en entendre parler.

Cette lettre est écrite hors d'œuvre, chez *Trochanire*. La Comtesse vous embrasse mille fois ; le Comte, que j'ai vu tantôt, en voudrait bien faire autant. Je lui ai dit votre souvenir et je le dirai à tous ceux que je trouverai en mon chemin.

Après tout, nous ne vous conseillons point de faire couper vos beaux cheveux. Et pour qui ? bon Dieu ! Cette mode durera peu ; elle est mortelle pour les dents. Taponnez-vous seulement par grosses boucles, comme vous faisiez quelquefois, car les petites boucles rangées de Montgobert sont justement du temps du roi Guillemot.

A Madame de Grignan
A Paris, achevée ce [mercredi] 15e avril [1671]

Le chocolat n'est plus avec moi comme il était ; la mode m'a entraînée, comme elle fait toujours.

[...]

Je suis fort aise que vous ayez compris la coiffure. C'est justement ce que vous aviez toujours envie de faire. Ce taponnage vous est naturel : il est au bout de vos doigts ; vous avez cent fois pensé l'inventer. Vous avez bien fait de ne point la prendre à la rigueur. Je vous avais conseillé de conserver vos dents ; vous le faites. C'est une chose étrange que votre serein, et la sujétion que vous avez de vous renfermer à quatre heures, au lieu de prendre l'air ; quelle tristesse ! Mais il vaut mieux rapporter ici vos belles dents que de les perdre en Provence par le serein, ou par une mode qui sera passée dans six mois. Dites à Montgobert qu'on ne tape point les cheveux, et qu'on ne tourne point les boucles à la rigueur, comme pour y mettre un ruban ; c'est une confusion qui va comme elle peut, et qui ne peut aller mal. On marque quelques boucles ;

le bel air est de se peigner pour contrefaire la petite tête revenante. Vous taponnerez tout cela à merveille ; cela est fait en un moment. Vos dames sont bien loin de là, avec leurs coiffures glissantes de pommades, et leurs cheveux de deux paroisses ; cela est bien vieux.

Madame de Sévigné, *Correspondance* (1671).

FULGURANCE ÉPHÉMÈRE

N... est riche, elle mange bien, elle dort bien ; mais les coiffures changent, et lorsqu'elle y pense le moins, et qu'elle se croit heureuse, la sienne est hors de mode.

Jean de la Bruyère, *Les caractères*, 1688.

Le coiffeur ! Il se juge, il s'appelle « un créateur » dans ce temps où, de toutes les modes, la mode des cheveux est celle qui vieillit le plus vite, si vite que Léonard avait pris l'habitude de dire *autrefois* pour *hier* !

Edmond et Jules de Goncourt, *La femme au dix-huitième siècle*, 1862.

MODES. – Il y a des personnes, et surtout des femmes pour lesquelles ces paroles : *c'est la mode*, sont des mots sacrés ; elles prennent avec un égal empressement une mode agréable et commode, ou la mode la plus ridicule et qui leur sied le moins. Elles ont un souverain mépris pour toutes les femmes qui n'ont pas quitté *les vieilles modes* de l'année précédente ; et elles paraissent dans une assemblée avec une joie inté-

rieure et une confiance parfaite, lorsqu'elles portent la robe et le chapeau *de la dernière mode.*

Voici une maxime qui ne souffre point d'exception : jamais une personne d'esprit n'aura ce goût passionné pour *la mode.*

Comtesse S.-F. de Genlis, Dictionnaire des étiquettes de la cour, 1818.

Rien n'est aussi dangereux que d'être trop moderne ; on risque de se
retrouver démodé tout soudainement.

Oscar Wilde, Un mari idéal, 1895.

Une mode a à peine détruit une autre mode, qu'elle est abolie par une
plus nouvelle, qui cède elle-même à celle qui la suit, et qui ne sera pas
la dernière : telle est notre légèreté. Pendant ces révolutions, un siècle
s'est écoulé, qui a mis toutes ces parures au rang des choses passées et
qui ne sont plus. La mode alors la plus curieuse et qui fait plus de plaisir à voir, c'est la plus ancienne : aidée du temps et des années, elle a le
même agrément dans les portraits qu'a la saye ou l'habit romain sur les
théâtres, qu'ont la mante, le voile et la tiare dans nos tapisseries et dans
nos peintures.

Jean de la Bruyère, Les caractères, 1688.

Je trouve les caprices de la mode, chez les Français, étonnants. Ils ont
oublié comment ils étaient habillés cet été. Ils ignorent encore plus
comment ils le seront cet hiver. Mais, surtout, on ne saurait croire com-

bien il en coûte à un mari pour mettre sa femme à la mode. Que me servirait de te faire une description exacte de leur habillement et de leurs parures? Une mode nouvelle viendrait détruire tout mon ouvrage, comme celui de leurs ouvriers, et, avant que tu eusses reçu ma lettre, tout serait changé. Une femme qui quitte Paris pour aller passer six mois à la campagne en revient aussi antique que si elle s'y était oubliée trente ans. Le fils méconnaît le portrait de sa mère, tant l'habit avec lequel elle est peinte lui paraît étranger : il s'imagine que c'est quelque Américaine qui y est représentée, ou que le peintre a voulu exprimer quelqu'une de ses fantaisies.

Quelquefois les coiffures montent insensiblement, et une révolution les fait descendre tout à coup. Il a été un temps que leur hauteur immense mettait le visage d'une femme au milieu d'elle-même. Dans un autre, c'étaient les pieds qui occupaient cette place les talons faisaient un piédestal qui les tenait en l'air. Qui pourrait le croire? Les architectes ont été souvent obligés de hausser, de baisser et d'élargir leurs portes, selon que les parures des femmes exigeaient d'eux ce changement, et les règles de leur art ont été asservies à ces caprices. On voit quelquefois sur un visage une quantité prodigieuse de mouches, et elles disparaissent toutes le lendemain. Autrefois, les femmes avaient de la taille et des dents ; aujourd'hui, il n'en est pas question. Dans cette changeante nation, quoi qu'en disent les mauvais plaisants, les filles se trouvent autrement faites que leurs mères.

Charles de Montesquieu, *Les lettres persanes*, Lettre XCIX, 1721.

Comment une chose : costume, idée, personnage, devient-elle à la mode ? Personne ne peut le savoir. Le phénomène est foudroyant, inexplicable. On dirait une boule de neige (que personne n'aurait vu pétrir) et qui grossit, et qui roule et, comme la boule de neige, s'augmente de tout ce qu'elle rencontre sur son passage, absorbe toute opposition, écrase tout.

Il n'y a plus qu'à s'incliner.

François de Miomandre, *La mode*, 1927.

N'oublions pas, non plus, que la beauté frivole de la mode et de ses recherches inspire la beauté grave ou s'inspire d'elle et qu'il y s'y rencontre des prodiges qui restent des prodiges, ne pouvant exciter que le rire des personnes qui subissent la mode sans comprendre sa loi tragique. La mode meurt jeune, et cet air condamné qu'elle a, lui donne de la noblesse. Elle ne peut compter sur une justice tardive, sur des procès gagnés en appel, sur des remords. C'est à l'instant où elle s'exprime qu'il lui faut atteindre le but et convaincre.

[...]

Le cinématographe nous a révélé que les plantes gesticulent et qu'une simple différence de tempo entre le règne végétal et le règne animal nous laissait croire à une sérénité de la nature.

[...]

Il faudrait filmer de la sorte les époques lentes et les modes qui se succèdent. Alors, ce serait vraiment saisissant, de voir, à toute vitesse, les robes s'allonger, se raccourcir et se rallonger, les manches se gonfler, se dégonfler, se regonfler, les chapeaux s'enfoncer et se retrousser, et se jucher, et s'aplatir, et s'empanacher, et se désempanacher, les poitrines grossir et maigrir, provoquer et avoir honte, les tailles changer de place entre les seins et les genoux, la houle des hanches et des croupes, les ventres qui avancent et qui reculent, les dessous qui collent et qui écument, les linges qui disparaissent et réapparaissent, les joues qui se creusent et qui s'enflent, et pâlissent, et rougissent, et repâlissent, les cheveux qui s'allongent, qui disparaissent, qui repoussent, qui frisent, se tirent et moussent et bouffent, et se dressent, et se tordent, et se détordent, et se hérissent de peignes et d'épingles, et les abandonnent, et les réadoptent, les souliers qui cachent les orteils ou les dénudent, les soutaches qui se nouent sur les laines piquantes, et la soie vaincre la laine, et la laine vaincre la soie, et le tulle flotter, et le velours peser, et les paillettes étinceler, et les satins se casser, et les fourrures glisser sur les robes et autour des cous et montant, et descendant, et bordant, et s'enroulant avec la nervosité folle des bêtes qu'on en dépouille.

On verrait alors les accessoires frivoles de cette période où grandissait notre jeunesse vivre d'une vie intense, ne jamais se fixer dans une posture malseyante et nous donner le spectacle grouillant et superbe d'une véritable tête de Méduse qui nous renseignerait plus sur un style que les arches du métropolitain ou que les pendentifs de Lalique.

Jean Cocteau, *Portraits souvenir*, 1935.

La mode meurt très jeune et cela l'éclaire d'une sorte de phosphorescence, d'une rougeur aux joues qui nous émeut. Elle est condamnée depuis sa naissance. Elle est presque morte avant de vivre. Elle doit jeter tout son bouquet d'un seul coup, sans reprises. Elle est insolente et touchante. On pourrait la définir de la sorte : une épidémie foudroyante grâce à laquelle des personnes de formations diverses et antagonistes obéissent à un ordre mystérieux, venu d'on ne sait où, et se soumettent à une habitude qui dérange les leurs jusqu'à la minute où un ordre nouveau change le jeu et les oblige à tourner casaque.

Jean Cocteau, « La mode meurt jeune », 1951.

Il faut parler de la mode avec enthousiasme, sans démence ; et surtout sans poésie, sans littérature. Une robe n'est ni une tragédie, ni un tableau ; c'est une charmante et éphémère création, non pas une œuvre d'art éternelle. La mode doit mourir et mourir vite, afin que le commerce puisse vivre.

[...]

Il y a une élégance Chanel, il y a eu une élégance 1925 ou 1946, mais il n'y a pas de mode nationale. La mode a un sens dans le temps, aucun dans l'espace. De même qu'il y a des plats mexicains ou grecs, mais pas de véritable cuisine de ces pays, de même il y a des coutumes vestimentaires locales (le plaid écossais, le boléro espagnol), mais rien de plus. La mode s'est faite à Paris, parce que tout le monde s'y rencontrait, depuis des siècles.

Où est alors le génie du couturier ? Le génie, c'est de prévoir. Plus que le grand homme d'Etat, le grand couturier est un homme qui a de l'avenir dans l'esprit. Son génie, c'est d'inventer en hiver des robes d'été, et inversement. A l'heure où ses clientes prennent des bains de soleil caniculaires, lui pense au gel, aux frimas.

La mode n'est pas un art, c'est un métier. Que l'art se serve de la mode, c'est assez pour la gloire de la mode.

[...]

La mode est une affaire de vitesse. Avez-vous visité une maison de couture dans les quelques instants qui précèdent l'apparition de la collection ? Ce que j'ai fait au début de la collection, je le trouve désuet avant la fin. Une robe qui date de trois mois ! Une collection prend tournure dans les deux derniers jours ;

[...]

Plus la mode est éphémère et plus elle est parfaite. On ne saurait donc protéger ce qui est déjà mort.

[...]

C'est parce que la mode doit passer que l'on confie aux femmes sa vie fragile. Les femmes sont comme des enfants ; leur rôle aux unes et autres, c'est d'user vite, de casser, de détruire : un monstrueux débit. C'est vital pour les industries qui n'existent que par elles.

[...]

J'entends souvent dire que la confection tue la mode. La mode veut être tuée ; elle est faite pour ça.

Paul Morand, *L'allure de Chanel*, 1976.

PRÉVISION SAISONNIÈRE

La Mode

Oh ! les beautés au chaste front !
Tout est bien, si tout est pour elles.
Les robes, cette année, auront
Des franges de fleurs naturelles.

Rien n'est plus fier que les satins ;
Mais on complétera le charme
Et la gloire de leurs destins,
Par des violettes de Parme.

Puis on mêlera, pour changer
Des coutumes enfin usées,
Les lilas aux fleurs d'oranger,
Sur le voile des épousées.

Une adroite et savante main
Garnira les robes, de roses,
Et les corsages, de jasmin.
C'en est fait des pierres moroses.

Allez vous cacher, diamants,
Saphirs, chrysoprases, topazes !
Ce ne sont plus vos feux dormants
Qui nous jettent dans les extases.

On verra des fleurs en collier
Qui sur la chair viendront éclore,
Et des touffes, sur le soulier.
Flore sera la joaillière.

Des fleurs sur le front, sur les bras !
Chaque femme sera fleurie.
C'est ainsi que tu reviendras,
Toute consolée et guérie,

Du haut du ciel aérien,

Simplicité que nous lésâmes.

Chez nous on ne verra plus rien

D'artificiel, – que les âmes !

Théodore de Banville, *Nous tous*, 1883.

Paris, le 1er août 1874.

Trop tard pour parler des modes d'été et trop tôt pour parler de celles d'hiver (ou même d'automne) : bien que plusieurs grandes maisons de Paris s'occupent déjà, à notre su, de leur assortiment pour l'arrière-saison. Aujourd'hui, n'ayant pas même, par le fait, sous la main les éléments nécessaires pour commencer une toilette, nous voulons entretenir nos lectrices d'objets utiles à l'achever : les Bijoux. Paradoxe ? non : n'y a-t-il pas, dans les bijoux, quelque chose de permanent, et dont il sied de parler dans un courrier de Modes, destiné à attendre les modes de juillet à septembre.

[...]

Et à propos de Couturière, je me suis laissé affirmer – mais faut-il prédire ! – que nous devions nous attendre à un changement absolu dans la *tournure*. On prétend qu'elle n'a plus de raison d'exister, les tailles ne devant plus être soutenues : puisque cela est un fait presque vieux qu'elles se portent longues et même très-longues.

La Mode, cette fois, ne viendrait-elle pas du Salon de peinture ? On a vu d'abord avec étonnement, puis non sans quelque satisfaction, un portrait et même plusieurs, où de jeunes et modernes visages dominaient une de ces longues tailles des siècles derniers. Il y aura ce point curieux à éclaircir, au commencement de Septembre, si cette résurrection doit durer la saison prochaine ! Aussi bien, maintenant, les yeux éblouis par des irisations, des opalisations ou des scintillements, ne pourrions-nous regarder, sans peine, quelque chose d'aussi vague surtout que l'Avenir.

Stéphane Mallarmé, *La dernière mode*, 1ère livraison, 2 septembre 1874.

Du chapeau je passe au costume, pour avoir la toilette. Le grand succès de la saison sera pour la tunique jais acier ou acier bleu. [...] Rien de plus neuf, rien de plus heureux : quoique, à vrai dire, il y ait, pour nous, quelques raisons de ne pas prodiguer, dans le cas présent, l'une et l'autre de ces épithètes, nos abonnées de vieille date, pouvant, certes, se rappeler que d'abord le *Corsage, cuirassé*, à proprement parler, a été déjà inauguré il y a un an, et, enfin l'a été précisément par une des aquarelles de *la Dernière Mode* mais ce n'est point pour constater ceci, non plus que faire parade d'une fausse modestie que nous avons ajouté à notre image un texte : passons outre, d'autant mieux que devancer la mode de plusieurs saisons peut être considéré par quelques-uns comme une infraction à notre véritable devoir, qui est de la *faire* au jour le jour. Jetons les yeux sur le présent et, au lieu de prévoir, regardons : par exemple, la garniture dominante pour robe, qui sera la plume ; rien de joli et de chatoyant à l'œil, n'est-ce-pas ? comme cet ornement, que la barbe en soit frisée, qu'elle soit luisante et lisse. Nous n'encourons pas, maintenant, comme tout à l'heure, le reproche d'avoir vu les choses trop tôt puisque la plume, nous ne l'avons donnée, coup sur coup et dans presque chacune de nos toilettes peintes et décrites, que cet été même, c'est-à-dire, trois mois, deux mois, un mois, avant que cette parure ne semble se généraliser absolument (et encore n'est-elle générale que parmi nos très-rares élégantes ou dans les ateliers, à qui appartient l'honneur de décider, pour une saison, de la Mode).

[...]

Toutefois, la mode ne se répète pas.

Stéphane Mallarmé, *La dernière mode*, 2ème livraison, 20 septembre 1874.

Notre dernier Courrier a dit au monde toute la transformation qu'a déjà subie ou que subira, cet automne, la Mode, et expliqué le *changement de décor* de la Saison [...]

Quelques remarques encore pour que ce Courrier fasse, avec le précédent, une étude en deux feuillets du Goût du Jour.

Stéphane Mallarmé, *La dernière mode*, 3ème livraison, 4 octobre 1874.

Je reprends, après une interruption causée par les Fêtes et renouvelable plus d'une fois dans le cours de l'hiver, le sujet habituel à cette page, dont le titre est *la Mode* : soit le Goût général de la Saison. Les vingt-quatre Courriers doivent, pour qui les feuilletera plus tard, former une histoire exacte et complète des Variations du Costume pendant une année ; mais ce serait manquer à mon devoir d'historiographe des Toilettes et du caprice qui les varie, que de ne pas tenir compte d'autres détails, comme l'emploi de ces Toilettes à la Campagne et à la Ville réglé par le *High-Life* ou simplement les étalages d'étoffes faits auparavant par les Magasins.

[...]

... vous pouvez d'un œil certain regarder à deux mois et plus devant vous, ce qui est beaucoup quand il s'agit de Modes.

Stéphane Mallarmé, *La dernière mode*, 5ème livraison, 1er novembre 1874.

Merci, Mesdames : les délicieux détails que vous m'apportez, je les reçois de vous ; mais je m'empresse de vous dire que, tous ces accessoires dans la Toilette de cet hiver, je les avais mis de côté, absorbée moi-même dans l'étude lente et voilée d'une évolution actuelle du Costume ; car vous dites bien, il se transforme. Pour ne vous montrer chaque chose qu'à sa place, ici, là, juste selon l'importance qu'elle y prend se rattachant à tout un ensemble prévu par nous, annoncé par nous au fur et à mesure qu'il s'accentua : (c'est-à-dire depuis notre première livraison), je me taisais, désireuse de tout dire. Tout ! cela signifie non seulement ces touches nécessaires à compléter une harmonie nouvelle, adoptée par nous toutes en fait d'habillement ; mais aussi d'où celle-ci vient et où elle nous mènera, son origine, ses résultats, et surtout les transitions qui l'ont accompagnée. A un recueil qui veut étudier la Mode comme un art, il ne suffit pas, non ! de s'écrier : telle chose se porte ; mais, il faut dire : En voilà la cause, et : Nous le prévoyions ! Rien de brusque et d'immédiat, dans le goût : en retard, non ; c'est en avance que j'étais ! vous le verrez tout à l'heure.
[...]
Que disait une de nos Livraisons, parue au début de cet Automne ? Que la tournure s'en va, et que le pouf disparaît : ceci posé comme point de départ de toute modification probable dans la Mode pendant l'Hiver.

Stéphane Mallarmé, *La dernière mode*, 8ème livraison, 20 décembre 1874.

Pour le philosophe, l'intérêt le plus grand de la mode réside dans ses anticipations. Il est bien connu que l'art précède souvent de plusieurs années la réalité perceptible, dans les tableaux par exemple. On a pu voir des rues ou des salles qui brillaient de mille feux colorés bien avant que la technique, grâce aux enseignes lumineuses et à d'autres dispositifs, ne leur donnât cet éclairage. L'artiste individuel a, en outre, une sensibilité à l'avenir certainement plus grande que celle de la femme du monde. Pourtant, la mode est en contact beaucoup plus constant, beaucoup plus précis, avec les choses qui arrivent, grâce au flair incomparable que les femmes, dans leur ensemble, possèdent pour ce que l'avenir réserve. Chaque saison de la mode, avec ses toutes dernières créations, donne certains signaux secrets des choses à venir. Qui serait capable de les lire, connaîtrait par avance non seulement les nouveaux courants de l'art, mais aussi les lois, les guerres et les révolutions nouvelles. – C'est là, assurément, que réside le plus grand attrait de la mode, mais de là vient aussi la difficulté qu'il y a à l'exploiter.

Walter Benjamin, *Paris capitale du XIXᵉ siècle. Le livre des passages*, 1927-1940.

L'ÉTERNEL RETOUR

« Il n'y a de nouveau que ce qui a vieilli », disait la couturière de l'Impératrice. Certes. La mode subit la loi de l'éternel retour.
Au Louvre, il y a une reine d'Egypte en bronze. Elle porte une robe plissé-soleil, exactement. Et on peut croire que ce sont les couturiers du XXᵉ siècle qui se sont inspirés de cette statue. Mais quand on a découvert la Crète, la vraie, celle du temps de Minos, on a été surpris

de constater que les femmes d'alors arboraient des toilettes compli-
quées et précieuses, d'un style étrangement pareil à celui de notre
second Empire : crinolines, tailles pincées, hauts talons. Or, on ne fit
les fouilles de Crète qu'aux environs de 1910.
Alors ?...

François de Miomandre, *La mode*, 1927.

Les modes me font songer aux marées, aux migrations, aux escaliers de
l'Histoire : telle forme gouvernementale que nous avons quittée au premier étage, nous la retrouvons sous les poutres. Loin de moi l'idée de
condamner ma porte au progrès, je sais très bien que nous ne revien-
drons pas aux perruques, aux discours latins et aux lanternes magiques.
Mais la mode est fille de mode, elle crée avec ce qu'elle a créé.

Léon Paul Fargue, *De la mode*, 1945.

« On n'en porte pas parce que cela ne se fait plus en ce moment. Mais
cela se reportera, toutes les modes reviennent, en robes, en musique,
en peinture », ajouta-t-elle avec force, car elle croyait une certaine originalité à cette philosophie.

Marcel Proust, *Le temps retrouvé*, 1927.

La plus récente expression de la mode nouvelle nous semble toujours,
c'est certain, supérieurement exquise. La transition de l'une à l'autre
mode, il faut le reconnaître, n'est jamais choquante ou brutale.

Ce qui fit admettre, par exemple, sans heurter la vision de nos pères, les paniers et la crinoline, à diverses époques de notre histoire, c'est que, peu à peu, leur œil s'est familiarisé aux accroissements progressifs et continus des ampleurs de jupes, à tel point que la caricature n'était plus perceptible à leurs regards prévenus lorsque nos aïeules emballonnées prirent la forme d'un pain de sucre ou d'une montgolfière.

Nous croyons toujours sincèrement que la femme ne fut jamais plus femme, plus reine, plus harmonieusement étoffée que lorsqu'elle est interprétée en beauté par la mode qui vient de naître et commence à s'affirmer avant de disparaître. C'est une erreur que partagèrent nos ascendants de toutes les générations du siècle précédent. Les journaux des élégances d'autrefois sont bien démonstratifs et précieux à consulter à ce point de vue ; ils prouvent que si une mode très rétrospective peut être considérée comme une curiosité, une mode vieille de quelques années seulement apparaît toujours comme un ridicule et que, seul, la mode régnante, animée par la vie de celles qui la font valoir, semble incomparable et inattaquable.

Quant à ce que vous nommez la création originale des couturiers, Mesdames, laissez-moi protester. Cette création n'est qu'un constant plagiat habile et ingénieux, une reprise orchestrée en mineur ou en majeur des modèles de nos grand'mères, avec un *leitmotiv* plus ou moins fréquent et des rappels archaïques de toute nature et de tous genres qui ne sauraient certes tromper les connaisseurs.

[...]

Ce sont les modes qui semblent les plus hostiles au goût courant à leur naissance qui se prolongent le plus longtemps lorsqu'elles ont fini par triompher. [...] Une mode ancienne nous semble une agréable curiosité, une mode qui commence ou qui s'achève entre dans le domaine de la caricature ou semble s'en évader ; seule, la mode régnante, consacrée par l'usage et qu'animent la vie et la beauté, est à nos yeux une apparence exquise.

La constante variation de la mode est une nécessité. Selon la juste observation de Chamfort, c'est l'impôt le plus naturel que l'industrie du pauvre puisse mettre sur la vanité des riches.

Octave Uzanne, *Sottisier des mœurs*, 1911.

Expression

Une fois constatée la variété et établie la temporalité de la mode, il reste à approfondir les relations qu'entretiennent mode et temps. Comme Uzanne vient de l'illustrer par l'image des femmes-montgolfières et des femmes-pain de sucre, les transitions d'une mode à l'autre sont douces, imperceptibles, et font ainsi accepter les extravagances les plus folles. D'autres auteurs notent cette caractéristique : Morand parle de « changements graduels et imperceptibles », Mercier des « chaînons imperceptibles, mais existans, par lesquels nos manieres tiennent les unes aux autres » et Baudelaire affirme que ces « transitions » sont « aussi abondamment ménagées que dans l'échelle du monde animal ».

Si les transitions d'une mode à l'autre sont imperceptibles, c'est qu'elles reflètent toutes des états de la société qui eux aussi s'enchaînent insensiblement. Les textes qui suivent présentent, chacun à leur manière, la mode comme expression. Carlyle réfute implicitement l'idée courante que la mode naisse du caprice et de la fantaisie car « l'homme ne procède par pur hasard ; sa main est toujours guidée par les mystérieuses opérations de la pensée. » La mode est prise dans un « travail de Cause et d'Effet : chaque coup de Ciseaux a été dirigé et prescrit par des Influences toujours actives ». Pour Gabrielle Chanel, « la mode est dans l'air ». Aussi, c'est au créateur de s'en inspirer pour que la mode soit le reflet d'un temps et d'un espace : « une collaboration de la couturière et de son temps », « la mode doit exprimer le lieu, le moment ». C'est ainsi que la mode donnera à voir « les mœurs dont elle est l'expression ». Convaincu de cela, Balzac s'attaque au *bougran* qu'il condamne, en même temps que la société qui l'a mis au goût du jour : « la bourrure des habits n'est point un fait isolé, mais analogie ; elle me semble avoir sa cause dans un fait général du même genre, dans une certaine roideur qu'on remarque de toute part autour de nous, dans les mœurs, dans les lettres, dans les arts ». Dès lors, les représentations des modes passées nous en disent long sur la société qui les portait ; dans de vieilles gravures de mode, Baudelaire se réjouit de retrouver « la morale et l'esthétique du temps ». Au point que la mode devient l'auxiliaire de l'histoire. Les Goncourt montrent à quel point la mode du XVIIIe siècle s'intéresse aux événements qui font l'actualité puis l'histoire et les immortalise en baptisant de leur nom un colifichet quelconque : « Les couleurs de l'Histoire portés par la Folie, voilà la mode ». Fargue va jusqu'à affirmer que « l'histoire de la mode pendant ces trois derniers siècles peut se confondre avec l'Histoire tout court ». Si pour Baudelaire la mode est bien l'expression des mœurs et l'alliée de l'histoire, elle dépasse aussi ces fonctions et, en tant qu'elle est art, accède à l'éternité ; il s'agit alors de « dégager de la mode ce qu'elle peut contenir de poétique dans l'historique, de tirer l'éternel du transitoire ».

A l'origine de la création, il y a l'invention. L'invention, c'est la graine, c'est le germe. Pour que la plante pousse, il faut la bonne température ; cette température, c'est le luxe. La mode doit naître dans le luxe, ce n'est pas vingt-cinq femmes très élégantes (d'ailleurs habillées gratuitement, ce qui n'est pas luxueux), le luxe c'est d'abord le génie de l'artiste capable de le concevoir et de lui donner forme. Cette forme est ensuite exprimée, traduite, diffusée par des millions de femmes qui s'y conforment.

La création est un don artistique, une collaboration de la couturière et de son temps. Ce n'est pas en apprenant à faire des robes qu'on les réussit (faire la mode et créer la mode, c'est différent) ; la mode n'existe pas seulement dans les robes ; la mode est dans l'air, c'est le vent qui l'apporte, on la pressent, on la respire, elle est au ciel et sur le macadam, elle est partout, elle tient aux idées, aux mœurs, aux événements.

[...]

La mode doit exprimer le lieu, le moment. [...] la mode est, comme l'occasion, quelque chose qu'il faut saisir aux cheveux.

[...]

Je répondrai qu'il peut y avoir des révolutions dans la politique, qui est une chose pauvre et qui n'a pour se mouvoir qu'un hémicycle, une droite et une gauche ; mais qu'il ne peut y avoir de révolution dans la couture, qui est une chose riche nuancée et profonde, comme les mœurs dont elle est l'expression.

[...]

Les révolutions de la mode doivent être conscientes, les changements graduels et imperceptibles.

Paul Morand, *L'allure de Chanel*, 1976.

Chaque siècle a son moule qui passe de mode. Tout s'y jette ; on le change : les deux siècles n'ont presque plus la même physionomie. Qui découvrira les chaînons imperceptibles, mais existans, par lesquels nos manières tiennent les unes aux autres ? Quand les femmes portoient de grands paniers, on forgeoit chez les orfèvres des assiettes d'une grandeur extraordinaire. Les bijoux du petit-Dunkerque semblent d'accord aujourd'hui avec nos petits appartemens, nos jolis meubles, notre habillement et notre coëffure. Il est donc en tout des rapports secrets, qui ont leur origine et leur liaison.

Louis-Sébastien Mercier, *Tableau de Paris*, VII, dlv, 1781-1789.

Comme Montesquieu écrivit un *Esprit des Lois*, observe notre professeur, ainsi pourrais-je écrire un *Esprit des Costumes* : de la sorte, avec un *Esprit des Lois*, proprement un *Esprit des Coutumes*, nous aurions un *Esprit des Costumes*. Pas plus, en effet, comme Tailleur que comme Législateur, l'homme ne procède par pur hasard ; sa main est toujours guidée par les mystérieuses opérations de la pensée. Sous toutes ses Modes, sous tous ses essais d'habillement, vous trouverez cachée une Idée Architecturale ; son Corps et le Drap sont l'assiette et les matériaux sur quoi et avec quoi le bel édifice de tout son Personnage doit être construit. Soit que, chaussé de légères sandales, il aille se balançant gracieusement en des manteaux drapés, soit qu'il s'élève comme une tour en une haute coiffure, du milieu d'un accoutrement qui n'est que pointes, paillettes et ceintures de clochettes ; ou qu'il s'enfle en fraises empesées, en bourres de bougran, en monstrueuses tubérosités ; ou qu'il se pince la taille à se couper en deux, et ne soit plus qu'une Agglomération de quatre membres affrontant le monde, – il agit tou-

jours conformément à la nature de cette Idée Architecturale ; qu'il soit
Grec, Gothique, Renaissance, ou tout à fait Moderne, et Dandy de
Londres ou de Paris. D'autre part, quelle signification n'y a t-il pas dans
la Couleur ! Depuis le plus sobre gris américain jusqu'au plus rutilant
écarlate, les idiosyncrasies spirituelles se révèlent dans le choix de la
Couleur : si la Coupe traduit l'Intellect et les Tendances, la Couleur
annonce le Caractère et le Cœur. Dans tout cela, chez les nations
comme chez les individus, il y a un incessant, indubitable, bien qu'infiniment complexe travail de Cause et d'Effet : chaque coup de Ciseaux
a été dirigé et prescrit par des Influences toujours actives, et qui certainement ne sont ni perdues, ni indéchiffrables, pour des Intelligences
supérieures.

Thomas Carlyle, *Sartor Resartus*, 1834.

Un chiffon traduit mieux une pensée qu'un gros livre et l'état d'une
société se connaît mieux à une coiffure qu'à de longs discours.

Sylviac, « L'éclectisme de la mode », *Gazette du bon ton*, 1914.

Que quelqu'un vous conseille de renoncer à tout ce que vous pouvez
avoir de grâce et d'aisance, pour prendre un air de raideur et de gêne,
vous croirez qu'il a perdu le sens ; car, sans l'aisance et la grâce, que
reste-t-il à la beauté ? Eh bien, ce que cet homme vous conseillerait,
vous le faites de vous-même, vous qui mettez un habit bourré de grosse
toile et de laine. Ayez en effet autour du cou un collet aussi épais, aussi
compact, aussi dur que le collet d'un cheval ; au-devant de la poitrine,
deux sortes d'ouvrages avancés, bombés en hémisphères, fermes, solides,

et qui ne sauraient fléchir à moins d'un coup de poing ; puis, avec cela, essayez de donner quelque souplesse à votre corps : vous aurez toujours l'air raide, guindé et lourd comme l'habit qui vous couvre.

[...]

Au reste, il ne faudrait pas remonter bien haut dans notre histoire pour y trouver l'habit sans bourrure dans tout son éclat. Qui ne connaît la souplesse de ce vêtement sous le Directoire et le Consulat ? Alors, les habits étaient aussi éloignés de toute raideur que les mœurs. Comment donc de ce qui était bien avons-nous rétrogradé vers ce qui était mal ?

[...]

En effet, dans l'état actuel des choses, la bourrure des habits n'est point un fait isolé, mais analogie ; elle me semble avoir sa cause dans un fait général du même genre, dans une certaine roideur qu'on remarque de toute part autour de nous, dans les mœurs, dans les lettres, dans les arts. Cette grosse toile gommée qui sert à rendre si fermes nos revers d'habit, s'appelle en langue technique, du *bougran* ; c'est la bougran qui donne aux choses simples et aisées en elles-mêmes une roideur artificielle. Eh bien, de tous côtés, sous mille noms, sous mille formes différentes, nous retrouvons le bougran.

Ce respect des convenances, cette hypocrisie puritaine qui pare les dehors sans améliorer les mœurs, c'est du bougran moral.

Cette empreinte politique qui s'applique à tout ce qui nous entoure, qui répand partout un froid ennui..., bougran constitutionnel.

[...]

J'en ai dit assez pour montrer que les bourrures des habits tiennent à un fait général et périront avec lui. Déjà une guerre lui est universellement déclarée ; de tous côtés le bougran est battu en brèche.

Honoré de Balzac, « Physiologie de la Toilette » (1830),
Théorie de la démarche.

La Mode du temps a l'habitude de ces appellations singulières, échos moqueurs des passions d'un temps ; événements et scandales, toutes les grandes et petites choses qui firent battre le cœur ou sourire l'ironie de la France, ont comme une trace de leur bruit, comme une lueur d'immortalité, dans ces riens légers et volants, un ruban, un bonnet, une coiffure, baptisés avec un nom fameux ou ridicule, avec une victoire ou un désastre, avec une joie publique ou une vengeance nationale, avec un mot, un sentiment, une idée, un engouement, l'occupation ou le jouet de l'imagination d'un peuple. Les couleurs de l'Histoire portés par la Folie, voilà la mode, voilà cette mode par excellence : la mode du dix-huitième siècle.

Dès le commencement du siècle, la mode touche à l'intérêt du moment. A la suite du procès du père Girard, paraissent les rubans *à la Cadière*, dont il existe trois échantillons dans les portefeuilles de la Bibliothèque impériale : dans l'un on voit la Cadière donnant un petit coup sur la joue du Révérend ; un autre montre la Cadière et le père Girard en buste, séparés par une pensée. Et des éventails succèdent aux rubans. De l'incendie qui avait brûlé trente-deux rues à Rennes, en 1721, il était sorti des bijoux et des parures de femmes, faites de pierres calcinées et des vitrifications du feu. Quand vient Law et son système, on invente les galons « du système ». Un terme, le terme « d'allure » court-il tout à coup de bouche en bouche, en 1730 ? Vite, ce sont des éventails et des rubans *à l'allure*, si goûtés qu'on les porte même pendant le deuil pris à la cour pour la mort du roi de Sardaigne. Le passage du Rhin effectué par le maréchal de Berwick et les troupes du roi, le 4 mai 1734, est célébré par les taffetas du *passage du Rhin*, ondés comme l'eau d'un fleuve, et par les rubans du *passage du Rhin*, qui font voir, dessiné grossièrement et comme tatoué sur la soie, un mousquetaire blanc ou bleu de ciel entre une tente blanche et une tente couleur rubis ou émeraude.

Sur le goût de la reine Marie Leczinska pour le jeu du quadrille, il naît des rubans nommés *quadrille de la Reine*. En 1742, l'apparition d'une comète amène toute une mode *à la comète*. Quelques années après, la venue d'un rhinocéros en France met toute la mode *au rhinocéros*. Et que de modes disparues, emportées par le caprice qui les avaient apportées, absorbées par une de ces grandes modes générales, une de ces modes *la Pompadour* qui embrassent toutes les fanfioles de la toilette, et dont on peut voir l'étendue et l'universalité dans la brochure publiée à la Haye sous ce titre : *La Vie à la Pompadour ou la quintessence de la mode, revue par un véritable Hollandois !*

Edmond et Jules de Goncourt, *La femme au dix-huitième siècle*, 1862.

L'histoire de la mode pendant ces trois derniers siècles peut se confondre avec l'Histoire tout court. [...] L'histoire de la mode, c'est peut-être encore de la petite Histoire. Mais elle est passionnante comme les propos d'une confidente des mœurs et de la civilisation.

Léon Paul Fargue, *De la mode*, 1945.

J'ai sous les yeux une série de gravures de modes commençant avec la Révolution et finissant à peu près au Consulat. Ces costumes, qui font rire bien des gens irréfléchis, de ces gens graves sans vraie gravité, présentent un charme d'une nature double, artistique et historique. Ils sont très souvent beaux et spirituellement dessinés ; mais ce qui m'importe au moins autant, et ce que je suis heureux de retrouver dans tous ou presque tous, c'est la morale et l'esthétique du temps. L'idée que l'homme se fait du beau s'imprime dans tout son ajustement, chiffonne ou raidit son habit, arrondit ou aligne son geste, et même pénètre subtilement, à la longue, les traits de son visage. L'homme finit par ressembler à ce qu'il voudrait être. Ces gravures peuvent être traduites en beau et en laid ; en laid, elles deviennent des caricatures ; en beau, des statues antiques.

[...]

Si un homme impartial feuilletait une à une toutes les modes françaises depuis l'origine de la France jusqu'au jour présent, il n'y trouverait rien de choquant ni même de surprenant. Les transitions y seraient aussi abondamment ménagées que dans l'échelle du monde animal. Point de lacune, donc point de surprise. Et s'il ajoutait à la vignette qui représente chaque époque la pensée philosophique dont celle-ci était le plus occupée ou agitée, pensée dont la vignette suggère inévitablement le souvenir, il verrait quelle profonde harmonie régit tous les membres de l'histoire, et que, même dans les siècles qui nous paraissent les plus monstrueux et les plus fous, l'immortel appétit du beau a toujours trouvé sa satisfaction.

[...]

Ainsi il va, il court, il cherche. Que cherche-t-il ? A coup sûr, cet homme, tel que je l'ai dépeint, ce solitaire doué d'une imagination active, toujours voyageant à travers le grand désert d'hommes, a un but plus élevé que celui d'un pur flâneur, un but plus général, autre que le plaisir fugitif de la circonstance. Il cherche ce quelque chose qu'on nous permettra d'appeler la modernité ; car il ne se présente pas de meilleur mot pour exprimer l'idée en question. Il s'agit, pour lui, de

dégager de la mode ce qu'elle peut contenir de poétique dans l'historique, de tirer l'éternel du transitoire.

Charles Baudelaire, *Curiosités esthétiques*, 1868.

La mode est ce par quoi le fantastique devient un instant universel.

Oscar Wilde, *Le portrait de Dorian Gray*, 1891.

Du corps

La femme malléable

La femme séductrice

La femme fardée

L'efféminé et la garçonne

LA FEMME MALLÉABLE

Reflet de la société et de ses mœurs, la mode exprime l'idée que cette société se fait de la beauté, et plus particulièrement de la beauté féminine qui, elle aussi, est soumise à des variations dans le temps, comme le rappelle Miomandre : « L'idée même que nous nous faisons de la beauté obéit à la loi du changement ». Il suffit de feuilleter un album de photographie contenant plusieurs générations ou d'observer quelques gravures pour saisir à quel point les vêtements modèlent le corps et la mode le métamorphose. Et pas seulement le corps si l'on en croit les frères Goncourt pour qui : « La mode façonne le visage de la femme ». Deux descriptions d'un personnage de la *A la recherche du temps perdu*, intervenant à des années et des centaines de pages d'intervalle montrent en détail et à la perfection la rencontre du corps et de la mode. Là où l'ancienne mode réifiait la femme pour en faire un « être vivant [...] engoncé ou perdu », la nouvelle mode, au contraire, est une « ligne » qui suit « le contour de la femme ». Toute l'histoire de la mode est ainsi ponctuée de périodes de libération suivies de retours à un asservissement volontaire de celui que Colette appelle « le malléable corps féminin ».

Cette malléabilité est extrême et touche aussi aux mentalités comme l'illustre l'édifiant épisode – en trois mouvements – des « petits ventres ». En 1913, la *Gazette du bon ton* relate un exemple contemporain de malléabilité corporelle féminine et constate que les femmes, encore récemment longilignes affichent depuis peu un ventre : « du jour au lendemain, elles ont eu un ventre. Il leur a poussé subitement, à sa place habituelle, comme par miracle ». Respectueux des mystères féminins, l'auteur refuse de mettre en doute l'authenticité de ces rondeurs apparues comme des champignons après la pluie. Confiant dans la sagesse de la femme de son époque, moderne et sportive, il est sûr que cet arrondissement généralisé n'a rien à voir avec le précédent, constaté plus de trente ans auparavant et conspué par Barbey d'Aurevilly. Barbey, qui avait d'abord pris toutes ces rondeurs pour des grossesses, tonne, lorsqu'il découvre la supercherie, contre les « ventres artificiels, des petits ventres... de caoutchouc ! », contre « cette mode, encore plus odieuse que comique, des petits ventres maternels », des « ventres tartufes ». Or, quelques mois après le premier article, la *Gazette du bon ton* revient sur les petits ventres et sur les femmes qui « promènent dans les rues et dans les salons les promesses fallacieuses de naissances imminentes » pour révéler que « dans les grands magasins, on vend l'accessoire qui donne cette ligne spéciale et consolante » ... et faire définitivement désespérer ceux et celles qui comme Colette attendent l'avènement de la femme de bon sens.

En effet, si la malléabilité du corps des femmes est parfois source de comique, l'asservissement qu'elles imposent à leur corps paraît sous un jour plus sinistre lorsqu'il s'apparente à la torture : « pour faire un corps bien espagnolé, quelle gehenne ne souffrent-elles guindées et sanglées » demande Montaigne, et Fitelieu déplore que « pour supleer au défaut du pauvre corps que l'on veut faire paretre, [...] pour se faire une taille, & un sein à la Mode, elles souffrent des peines qui ne se peuvent exprimer ». Et si elles mettent ainsi leur propre santé (les corsets) et celle des autres (les épingles à chapeau) en péril, c'est, d'après l'Abbé Boileau, dans un seul but, celui de séduire.

La beauté féminine

L'idée même que nous nous faisons de la beauté obéit à la loi du changement (1). Ai-je assez entendu répéter, jadis, que l'Apollon du Belvédère serait ridicule en habit. Il suffit d'avoir rencontré M. Georges Carpentier en soirée pour savoir ce que vaut cette assertion. Du temps de Manet, du temps de Nana, il nous fallait de l'étoffe, du replet. Epaules ... coupables, hanches épanouies, mollets ronds. L'héroïne de M. Paul Bourget est fuselée, effilée ; le modèle de M. Van Dongen ne recule pas devant le décharné.

(1) « La mode même et les pays règlent ce que l'on appelle beauté », a dit Pascal, dans les passions de l'amour. Il grogne un peu ; moi, je constate simplement.

François de Miomandre, *La mode,* 1927.

C'est Alexandre Dumas fils qui déclarait que l'évolution de la mode consistait pour les femmes à passer de l'aspect du fourreau de parapluie à celui de sonnette.

Sylviac, « L'éclectisme de la mode », *Gazette du bon ton,* 1914.

La mode façonne le visage de la femme ; la nature elle-même semble le former à l'image du temps et de la société.

Edmond et Jules de Goncourt, *La femme au dix-huitième siècle,* 1862.

Il faut d'ailleurs dire que le visage d'Odette paraissait plus maigre et plus proéminent parce que le front et le haut des joues, cette surface unie et plus plane était recouverte par la masse des cheveux qu'on portait alors prolongés en « devants », soulevés en « crêpés », répandus en mèches folles le long des oreilles ; et quant à son corps qui était admirablement fait, il était difficile d'en apercevoir la continuité (à cause des modes de l'époque et quoiqu'elle fût une des femmes de Paris qui s'habillaient le mieux), tant le corsage, s'avançant en saillie comme sur un ventre imaginaire et finissant brusquement en pointe pendant que par en dessous commençait à s'enfler le ballon des doubles jupes, donnait à la femme l'air d'être composé de pièces différentes mal emmanchées les unes dans les autres ; tant de ruchés, les volants, le gilet suivaient en toute indépendance, selon la fantaisie de leur dessin ou la consistance de leur étoffe, la ligne qui les conduisait aux nœuds, aux bouillons de dentelle, aux effilés de jais perpendiculaires, ou qui les dirigeait le long du busc, mais ne s'attachaient nullement à l'être vivant, qui selon que l'architecture de ces fanfreluches se rapprochait ou s'écartait trop de la sienne, s'y trouvait engoncé ou perdu.

Marcel Proust, *Du côté de chez Swann*, 1913.

Sauf à ces moments d'involontaire fléchissement où Swann essayait de retrouver la mélancolique cadence botticellienne, le corps d'Odette était maintenant découpé en une seule silhouette, cernée tout entière par une « ligne » qui, pour suivre le contour de la femme, avait abandonné les chemins accidentés, les rentrants et les sortants factices, les lacis, l'éparpillement composite des modes d'autrefois, mais qui aussi, là où c'était l'anatomie qui se rompait en faisant des détours inutiles en deçà ou au delà du tracé idéal, savait rectifier d'un trait hardi les écarts de la nature, suppléer, pour toute une partie du parcours, aux défaillances aussi bien de la chair que des étoffes. Les coussins, le « strapontin » de l'affreuse « tournure » avaient disparu, ainsi que ces corsages à basques qui, dépassant la jupe et raidis par des baleines, avaient ajouté si longtemps à Odette un ventre postiche et lui avaient donné l'air d'être composée de pièces disparates qu'aucune individualité ne reliait. La verticale des « effilés » et la courbe des ruches avaient cédé la place à l'inflexion d'un corps qui faisait palpiter la soie comme la sirène bat l'onde et donnait à la percaline une expression humaine, maintenant qu'il s'était dégagé, comme une forme organisée et vivante, du long chaos et de l'enveloppement nébuleux des modes détrônées.

Marcel Proust, *A l'ombre des jeunes filles en fleurs*, 1918.

L'ivresse de la délivrance, le grand souffle des révolutions ! La petite cloche sonne son propre glas. Au moment où l'on renonçait à la détrôner jamais, le petit chapeau concave meurt soudain. On lui renouvelait son mandat depuis plus de deux lustres. [...]
Eteignoir charmant, aimable abri des orbites fatigués, vous voilà au rancart. Fruit d'une logique rudimentaire, c'est le chapeau-tube, à présent, qui couronne le chef-d'œuvre de géométrie revêche qu'on appelle la robe-tube et qui n'a, comme la poupée de Jeanneton, ni devant ni derrière. O sadisme, ô mortification ! Habiter, ne fût-ce que quelques heures par jour, un tuyau de poêle, l'intérieur d'un drain, d'une baguette de macaroni ! La femme moderne y trouve une volupté étrange. Comme chaque fois que la mode réduit en épaisseur et étire en longueur le malléable corps féminin, certains accessoires de la toilette se déforment dans le sens opposé. Telle la haute tige du chou de Bruxelles se parant, le temps venu, de tumeurs comestibles, étagées, la femme-tube suspend

à son cou, à ses oreilles, des excroissances d'argent creux, rondes, considérables par leur volume sinon par leur poids.

Colette, « Nouveautés », *Le voyage égoïste*, 1922.

Elles allaient naguère toutes droites, strictement serrées dans des four-reaux qui de la taille aux pieds ne présentaient la moindre inflexion ; elles n'avaient plus ni hanches, ni bassin, et là où d'ordinaire s'épa-nouissent les rondeurs de ce qu'on appelle couramment le ventre nous étions tous surpris et enchantés, puisqu'elles le voulaient ainsi, de voir qu'il n'y avait plus rien, moins que rien, rien de rien. Mais l'esprit a soufflé... D'où ? nul ne saurait le dire et que nous importe d'ailleurs ? Toujours est-il que, du jour au lendemain, elles ont eu un ventre. Il leur a poussé subitement, à sa place habituelle, comme par miracle, en même temps que les jeunes pousses verdissaient les branches noires aux arbres des squares et des avenues et que le printemps visite les premiers. Et ce fut comme une révélation. Où donc, hier, le cachaient-elles ? N'insistez pas... Elles seraient bien trop embarrassées pour vous répondre. Et puis, est-ce que cela vous regarde et allez-vous imiter ces trop curieuses fillettes qui crèvent les yeux à leurs poupées pour savoir ce qu'il y a derrière et ne peuvent, après, se consoler d'avoir constaté qu'il n'y a rien ? O hommes de peu de foi !

Le fait, d'ailleurs, n'est point nouveau. La mode, comme l'histoire, n'est qu'un perpétuel recommencement. Ouvrez les *Ridicules Du Temps* de celui que l'on appelait à l'époque où il n'y avait pas encore de prince ni des poètes, ni des conteurs, ni des critiques, le « Connétable des Lettres françaises », Jules Barbey d'Aurevilly, et vous y trouverez un chapitre, non des moins mordants, en vérité, de ce terrible livre, consacré au

« Petits Ventres ». C'est que ces petit ventres contre lesquels fulminait l'auteur des *Diaboliques* n'étaient pas de vrais petits ventres, mais des ventres artificiels, des petit ventres... de caoutchouc! Et s'appelaient : des *termes*. [...] Les ventres à la mode sont, jusqu'à preuve du contraire, de vrais ventres, d'authentiques ventres : l'heure du ventre postiche, espérons-le, ne reviendra point. La femmes moderne saura se défendre d'un tel ridicule. Et puis, elle est ce que n'était pas la femme du temps où régnait la Comtesse de Castiglione, sportive et le sport a tué les postiches.

Gabriel Mourey, « Les caprices de la ligne », *Gazette du bon ton*, 1913.

La comtesse est une belle personne de vingt-sept ans [...], et son mari [...], n'en a pas quarante [...] et il n'y avait point à s'étonner du tout, – mais pas du tout ! – que la comtesse fût dans la *position intéressante*, inventée par les bégueules anglaises, pour dire... une chose simple comme bonjour. Je ne m'en étonnai donc point, et je ne l'aurais même pas remarqué si, en se levant pour recevoir la princesse Imalo... qui entra dans le salon avec le faste languissant de la maternité heureuse, – à son premier bonheur, – je n'avais vu, comme les deux soleils du poète, deux charmantes lignes courbes aller au-devant l'une de l'autre. – Tiens, pensai-je, on dirait qu'elles sont du même mois !
Et je me mis à rêver... à ce qui ne me regardait pas, quand une troisième femme qui marchait presque sur la traîne de la princesse, tant elle entra tôt après elle, fit surgir à son tour des flots de sa robe de velours, vert comme l'Océan, un troisième soleil de maternité rayonnante, mais d'un disque plus grand et plus bombé... Et, coup sur coup, cette majestueuse à pleine ceinture fut aussi immédiatement suivie d'une autre, toujours dans le même état glorieux de ventripotence maternelle !

— C'est donc la fête des femmes enceintes, que la comtesse célèbre ce soir ? [...]

— Le feu des grossesses ? interrompit Bornst... [...] On voit bien [...] que vous êtes devenu un solitaire et que vous ne dégringolez pas souvent de votre colonne de Stylite, car vous sauriez que de toutes ces *positions intéressantes*, révélées par ces délicieux girons accusateurs, il n'y en a peut-être pas une seule vraie, et que tout cela est affaire de mode, d'esthétique et de... caoutchouc ! De rondeurs en rondeurs montrées, nous en sommes arrivés au ventre des femmes enceintes ! Mon Dieu, oui ! Comme disent MM. les calicots qui les vendent : en ce moment, rien de mieux porté. Cela se nuance beaucoup dans la forme... Il y a les *termes* (c'est le nom qu'on a donné à ces amours de postiches), puis les *demi-termes* pour les très jeunes filles ! C'est à dégoûter vraiment de la virginité ! Dans un temps qui tourne à la mère, et où l'affection du sentiment maternel est la seule hypocrisie que nos lâches mœurs se permettent, nous fourrons la maternité jusqu'en mode, et nous coquettons avec son signe extérieur que nos pères — qui aimaient leurs femmes pourtant, et mieux que nous ! — trouvaient laid et traitaient comme un inconvénient. Nos pères étaient des imbéciles. Il ne s'agit plus maintenant, en fait de mode, de ce qui est joli, seyant, plaisant aux yeux ; pour le moment, il nous faut du sentimental, du moral, du pudique ! La réaction commencée par les *idées de Mme Aubray* continue... Autrefois, les femmes, si vous vous le rappelez, mettaient, vous savez où, un quelque chose qu'elles appelaient crânement (le mot est consacré) un *polisson*. Eh bien, en le changeant de côté, il devient un *terme*, et au lieu d'un *polisson*, en le retournant, vous avez... une pudeur !

[...]

C'était à une mode française de faire cela ! C'était chez nous, le plus élégant, le plus gracieux, le plus spirituel des peuples de la terre (ancien style !) que devait prendre cette inimaginable idée de toute une population de femmes enceintes, jusqu'aux petites filles, car les petites filles sont des petites femmes, et elles auront aussi leurs petits ventres, – leurs ventriculets, – comme elles ont eu déjà leurs crinolines, leurs toquets, leurs bottines à glands, et leurs cannes ! Signe précurseur ! Chez ce peuple d'un goût exquis, lequel depuis assez longtemps se détériorait, on a vu des choses bizarres... [...] On les avait vues en cerceaux comme des singes, avec cette différence que le singe a l'esprit de passer à travers, et elles, la bêtise d'y rester ! Mais nous n'avions pas vu, dans leur attirail de toilette, le petit ventre !

[...]

Et si ce n'était que grotesque, ridiculement grotesque, en tout état de cause, – si ce n'était que franchement laid et franchement ridicule, cette mode des petits ventres, je n'en parlerais pas ou je n'en parlerais que pour mémoire... [...] Mais, au fond, ce n'est pas même ce qu'a de laid toute grossesse, pour qui n'en a pas la vanité d'auteur, qui nous fait repousser cette mode, encore plus odieuse que comique, des petits ventres maternels. C'est ce qu'une pareille mode veut avoir de vertueux, dans un monde corrompu jusqu'aux moelles ! [...] Des ventres tartufes à présent ? il suffisait des cœurs tartufes, qui ne nous ont jamais manqué !

Jules Barbey d'Aurevilly, *Les ridicules du temps*, 1883.

Les préoccupations sociales ont, comme chacun sait, une influence profonde sur les changements de la mode. Nul n'ignore que la France a retrouvé, depuis quelques mois, son énergie. Chacun a célébré ce réveil de l'esprit National. La femme ne pouvait rester indifférente à ce mouvement de patriotisme. S'il ne lui est pas permis de porter les armes, elle risque du moins son existence en donnant au pays des enfants. Les élégantes n'avaient jamais eu le souci d'avoir l'apparence d'une maternité prochaine. Cédant au souffle régénérateur qui a secoué l'apathie de la patrie, elles promènent dans les rues et dans les salons les promesses fallacieuses de naissances imminentes. Naguère, elles étaient immatérielles. Elles n'avaient pas de corps. C'était l'époque des intellectuelles. Aujourd'hui elles ont l'orgueil de pouvoir donner à la France des soldats. Le couturier doit leur donner l'aspect de celle qui sera bientôt mère. Il y parvient sans effort et, dans les grands magasins, on vend l'accessoire qui donne cette ligne spéciale et consolante.

Nozière, « De la mode », *Gazette du bon ton*, 1913.

Les voilà bien les femmes pratiques, les pionnières 1925, celles qui dirigent aujourd'hui, celles qui voteront demain, celles qui...
– Celles qui, ô Dithyrambique, ont promené tout l'hiver leurs vertus anciennes et nouvelles, par zéro degré et au-dessous, sur deux semelles pas plus épaisses que l'ongle, que trois petites lanières vernies nouaient sur un bas de soie d'un rose carné.
[...]
Non, Enthousiaste, non Féministe enragé, n'essayez pas de me faire partager votre lyrisme, et ne me demandez pas que j'augure rien de bon d'une législatrice qui n'est pas capable d'imposer la politique du pied au chaud, d'une députée qui, mordue d'onglée et battant la semelle, clôturera un peu cavalièrement une séance pour courir vers l'âtre et le radiateur ?
Enthousiaste, ne baissez pas, cependant, ce long nez que je vous vois.

Songez que voilà le beau temps, la chaleur, que la mince sandale d'hiver va pouvoir céder la place, enfin, au massif soulier de golf, à la chaussure semellée de gomme élastique, et qu'en juillet le pied féminin mijotera, jusqu'à ébullition, sur l'odorant caoutchouc et le cuir chromé. [...] Fêtez d'ores et déjà des encolures qui grimpent jusqu'à l'oreille, de la manche qui s'allonge avec l'été, s'accourcit avec l'hiver. Chantez le gros nœud noué sous le menton, les trois tours de mousseline, les pointes de col Royer-Collard, le boa énorme en plumes de coq réservé à la canicule, et chantez donc aussi, pendant que vous y êtes, la suppression des bords de nos chapeaux. A nous, à nous, venus les beaux jours, le nez qui pèle et l'œil qui larmoie dans la souveraine lumière !

Colette, « Logique », *Le voyage égoïste*, 1922.

Elles donnent des formes rondes à ce qui est plat, c'est un art, c'est encore un travail. Mais quoi ! cette croupe arrondie est du crin, cette gorge est du vent ! L'artifice est admirable ; mais le voile soulevé, adieu le talisman.

Louis-Sébastien Mercier, *Tableau de Paris*, 1781-1789.

Triomphe de la volonté.
Il fut un temps où les femmes plaisaient un peu replètes.
Aujourd'hui, nous voulons du mince, du fuselé.
Pensez-vous que nous ayons changé de fournisseurs ?
Mais non, voyons, ce sont toujours les mêmes. Seulement, elles ont maigri. Par des moyens à elles connus, parfois terribles, elles sont

devenues ce que nous souhaitions.

Et elles sont prêtes à regrossir demain, s'il le fallait.

François de Miomandre, *La mode*, 1927.

Meslons y les femmes. Qui n'a ouy parler à Paris de celle, qui se fit escorcher pour seulement en acquerir le teint plus frais d'une nouvelle peau ? Il y en a qui se sont fait arracher des dents vives et saines, pour en former la voix plus molle, et plus grasse, ou pour les ranger en meilleur ordre. Combien d'exemples du mespris de la douleur avons nous en ce genre ? Que ne peuvent elles ? Que craignent elles, pour peu qu'il y ait d'agencement à esperer en leur beauté ?

> *Vellere queis cura est albos a stirpe capillos,*
> *Et faciem dempta pelle referre novam.*

J'en ay veu engloutir du sable, de la cendre, et se travailler à point nommé de ruiner leur estomac, pour acquerir les pasles couleurs. Pour faire un corps bien espagnolé, quelle gehenne ne souffrent elles guindées et sanglées, avec de grosses coches sur les costez, jusques à la chair vive ? ouy quelques fois à en mourir.

Michel de Montaigne, *Essais*, I, xl, 1595.

J'avoüe néantmoins qu'on leur pourroit souffrir quelque chose de ce coté, mais l'excez qu'on y remarque est si grand qu'il ne se peut d'avantage, elles se contraignent les espaules pour faire une belle taille, & se garnissent le plus souvent de mille linges pour supleer au défaut du pauvre corps que l'on veut faire paretre. Les unes sont nuës jusques au milieu des espaules, & pour faire montre de leur sein, qui publie que la bête est à loüer, il faut que la moitié de l'estomach soit ainsi, les autres se serrent étroitement les mammelles afin de les relever, & y passent une certaine sangle qui leur donne bien mal. Voyez les en apres dans leur logis, les marques y paroissent quatre jours, & pour se faire une taille, & un sein à la Mode, elles souffrent des peines qui ne se peuvent exprimer. Si Mademoiselle void en faisant la vitre, quelque chose de nouveau, il faut que le pauvre mary, ou bien son galand l'achete, & luy faut tous les jours des habits, des colets, & des machons. C'est ce qui fait que bien souvent elles s'en vont au Palais sur les deux heures pour apprendre cette Mode, & quoy qu'il coute, il faut qu'elles la chargent le lendemain. N'estoit-ce pas une grande vanité que cette toile de soye, & ce pendant il ne s'est trouvé femme aucune qui n'en ait voulu avoir ; Ces colets dentelez, ces simples, ceux que l'on nomme à languette, & les mouchoirs qui les suivent, sont des marques de l'inconstance de leur sexe, & de la vanité de leurs désirs.

Pour faire que ce corps soit beau, il faut que l'on porte un busq qui soit en dos de coq d'inde, & qui face relever le corps de jupe, & une panse du Capitaine Fracasse. Il en est trois ou quatre sous celui-là, & le dernier sert pour partager leur sein, & faire bondir de temps en temps leur mammelles qui s'arrêtent sur le rempli d'une piece garnie d'une douzaine de boutons à fanfreluche. L'etoffe duquel on se sert pour couvrir leur nudité doit être de fort grand prix, autrement le mary n'est pas aimé, ny même quelquefois souffert avec patience dans le logis.

Monsieur de Fitelieu, *La contre-mode*, 1642.

Je trouve donc très crânes, et infiniment touchants, les inénarrables petits chapeaux que le printemps a fait fleurir sur le front, soucieux dans les tons clairs, de nos compagnes, de nos sœurs, de nos mères. Pour une fois, et ceci est assez propre à nous donner une idée juste du tournant de l'Histoire où nous nous trouvons, il sont petits quand la sagesse et le gouvernement exigent qu'ils le soient... Autrefois, je veux dire il y a bien longtemps, la mode ignorait sereinement la loi ou ne la connaissait que pour s'exercer gentiment à lui désobéir. Vous souvient-il de la croisade, qui dura bien un demi-siècle, contre le port du corset ? Plus la Faculté raisonnait, plus on s'arrangeait pour nous affoler de la taille de guêpe. Plus il y avait de presse dans le métro, plus longues et acérées étaient les épingles à chapeau. Plus l'armée avait besoin de cuir, plus haut se laçaient les chaussures. Plus on allait au théâtre, plus les bibis tournaient au sombrero, etc. C'était charmant...

Léon Paul Fargue, *De la mode*, 1945.

Il est temps que ces femmes mondaines sortent de leur erreur et quittent leur mauvaise coutume, si elles ne sont pas touchées de repentir voyant l'injure qu'elles font à la religion et le dommage qu'elles causent à leur prochain [...] Ne sont-elles pas à plaindre, de se mettre à la gêne et à la torture pour s'habiller à la mode et pour donner quelque agrément et quelque grâce à leur sein parce qu'elles veulent le faire voir. A combien d'infirmités et de maladies ne s'exposent-elles point en serrant trop leur poitrine et en la montrant presque toute nue !

Abbé Boileau, *De l'abus des nudités de gorge*, 1677.

LA FEMME SÉDUCTRICE

A toutes les époques et dans toutes les civilisations, les vêtements et les parures ont eu une fonction de séduction, d'attraction entre les sexes. La mode y ajoute par ses artifices et la nouveauté. Dans sa fable, Diderot s'amuse à inventer les origines fantaisistes de certaines stratégies féminines de séduction. Un poème du XVIIᵉ siècle, adressé à celles qui désirent « passer pour belles » explique que « pour mieux les hommes tanter,/Il faut des habits inventer [...] Parce que l'artifice aujourd'hui/A mis le naturel soubs luy ». Fargue considère d'ailleurs la mode comme un « facteur de repopulation et ciment du mariage » et Uzanne dit qu'elle « active nos appétits par ses sortilèges et concourt à sa façon à la perpétuation de l'espèce ». Comment ? En dissimulant les défauts, puisque ce qui prime en amour n'est pas la réalité de l'autre mais « l'idée qu'on s'en fait ». Si l'auteur des *Lettres patentes...* réclame pour les femmes le droit de porter cerceaux et paniers, c'est pour dissimuler leurs défauts, mais aussi les « accidents » qui peuvent survenir lorsque la dissimulation des défauts a réussi et ... porté ses fruits. Après les ventres de caoutchouc pour grossesses factices, voici les paniers qui gardent « la réputation [...] à couvert ».

A vous Dames & Damoiselles,
Qui désirez passer pour belles :
J'adresse ce petit écrit,
Digne de votre bel esprit,
Plein d'une science profonde,
Qu'on nomme le trictrac du Monde,
Pour y vivre moralement,
Sans craindre Loix, ny Parlement,
Et veoir comment on s'accommode,
D'habits & discours à la mode.
[...]
Mais pour mieux les hommes tanter,
Il faut des habits inventer,
Se coiffer à la culbute,
Relever ses tétins en butte,
Encore qu'ils fussent pendans,
Par l'aage, ou par les accidans,
Et s'il on a les dents gastées,
Belle pommade fréquenter,
De l'opiat de romarin,
Que l'on trouve chez Tabarin,
Faire de la petite bouche,
Sçavoir frizer à l'escarmouche,
Auoir la pointe sur le front,
Pour mieux se couvrir d'un affront :
Parce que l'artifice aujourd'hui
A mis le naturel soubs luy,
Faire les sourcils en arcade,

Les moustaches à l'estocade,
Tourner les yeux à l'assassin,
Pour faire naitre le dessein,
A prendre l'amour par les ailes,
Mettre mouches en sentinelles,
Sur un teint délicat & net,
Porter gans à la Cadnet :
Le mouchoir à la Connétable,
Et autre affiquet convenable,
Guirlandes, & nœuds assortissant,
A la chaine d'un bleu mourant :
Les grosses perles à la Brante,
D'une blancheur très-excellente,
A la Guimbarde le collet,
De la vraye Croix au chappelet,
Du point couppé à la chemise,
Dire elle est revenue Denise,
Quelquefois pour la gayeté,
La robbe à la commodité ;
En hyver porter la ratine,
En été jupes de la Chine,
Et les souliers à la Choisy,
De satin bleu, ou cramoisy ;
Avec le bas de Fiamette,
L'or émaillé sur l'éguillette.

Anonyme, *La mode aux dames*, 1622.

L'art du vêtement possède des lois générales qui intéressent la ligne, la couleur et l'expression harmonieuse d'un ensemble. Cet art peut parfois tromper notre esthétique ou pervertir notre goût, mais tout en modifiant la physionomie de la femme, il active nos appétits par ses sortilèges et concourt à sa façon à la perpétuation de l'espèce.

Octave Uzanne, *Sottisier des mœurs*, 1911.

C'est, en effet, grâce à la mode que nous échappons, en matière de beauté féminine, ou plutôt de charme féminin, à l'accoutumance, et par conséquent à l'ennui qui coupe l'appétit... Si j'étais sociologue, j'écrirais de doctes choses sur la mode, facteur de repopulation et ciment du mariage. Selon un rythme qui est le même que celui des saisons, la mode rend tour à tour hommage à toutes les perfections corporelles de l'âme sœur ; ou bien, ce qui revient au même, nous en dissimule les défauts ; elle allonge le buste, ou le raccourcit ; elle rend graciles les épaisses, et dodues les maigres. En apparence ? Certes. Mais cela ne suffit-il pas ? Le réel, en amour, c'est l'idée qu'on s'en fait. J'ai connu un humoriste qui disait que toutes les femmes intelligentes s'arrangeaient de façon à paraître *nouvelles*, sans cesse, afin de tromper, assidûment, l'instinct polygamique de l'homme. Et il n'avait pas tout à fait tort.

Léon Paul Fargue, *De la mode*, 1945.

Une autre fois nous fûmes tous charmés, nous autres jeunes fous, d'une aventure qui scandalisa amèrement les dévots : les femmes se mirent à faire des culbutes, et à marcher la tête en bas, les pieds en l'air et les mains dans leurs mules.

Cela dérouta d'abord toutes les connaissances, et il fallut étudier les nouvelles physionomies ; on en négligea beaucoup, qu'on cessa de trouver aimables lorsqu'elles se montrèrent ; et d'autres, dont on n'avait jamais rien dit, gagnèrent infiniment à se faire connaître. Les jupons et les robes tombant sur les yeux, on risquait à s'égarer ou à faire de faux pas ; c'est pourquoi on raccourcit les uns, et l'on ouvrit les autres : telle est l'origine des jupons courts et des robes ouvertes. Quand les femmes se retournèrent sur leurs pieds, elles conservèrent cette partie de leur habillement comme elle était ; et si l'on considère bien les jupons de nos dames, on s'apercevra facilement qu'ils n'ont point été faits pour être portés comme on les porte aujourd'hui.

Toute mode qui n'aura qu'un but passera promptement ; pour durer, il faut qu'elle soit au moins à deux fins. On trouva dans le même temps le secret de soutenir la gorge en dessus, et l'on s'en sert aujourd'hui pour la soutenir en dessous.

Les dévotes, surprises de se trouver la tête en bas et les jambes en l'air, se couvrirent d'abord avec leurs mains ; mais cette attention leur faisait perdre l'équilibre et trébucher lourdement. De l'avis des brahmines, elles nouèrent dans la suite leurs jupons sur leurs jambes avec de petits rubans noirs ; les femmes du monde trouvèrent cet expédient ridicule, et publièrent que cela gênait la respiration et donnait des vapeurs ; ce prodige eut des suites heureuses ; il occasionna beaucoup de mariages, ou de ce qui y ressemble, et une foule de conversions ; toutes celles qui avaient les fesses laides se jetèrent à corps perdu dans la dévotion et prirent de petits rubans noirs : quatre missions de brahmines n'en auraient pas tant fait.

Denis Diderot, *Les bijoux indiscrets*, 1748.

En réponse à *L'ordonnance burlesque de la reine des modes, au sujet des paniers, des cerceaux, des vertugadins et autres ajustements des femmes* d'Aréthuse de Radamante, reine des modes, du 17 Août 1719, sont publiées le 6 octobre 1719, les *Lettres patentes, En faveur du Royaume des Modes, & Provinces en dépendant. Qui cassent & annulent l'Ordonnance contre les Paniers, Cerceaux, & autres Ajustemens des Femmes :*

VENUS Déesse des Plaisirs : A nos amez & fidèles Sujets des Royaumes des Modes, Principautés de Falbala, Pretintailles, Paniers, Cerceaux, Criardes, &c. relevant de Nous ; SALUT : Malgré le soin particulier que nous avons pour la conservation des Royaumes & Provinces qui font partie de nos Plaisirs, & nôtre prévoyance à nommer des personnes capables de gouverner ces Royaumes, Nous avons cependant remarqué que celuy des Modes étoit sur le penchant de sa ruine causée par une Ordonnance qu'Aréthuse de Radamante à qui nous avions bien voulu en accorder le soin, a fait publier le 17 Aoust 1719 qui tend à en saper les fondements : Les mêmes raisons sur lesquelles cette Ordonnance est appuyée, servent à en montrer l'injustice ; en effet la destruction de ce Royaume qui a toujours été si florissant n'arrivera-t-elle pas, dès que le Sexe n'aura plus la liberté de cacher par des inventions nouvelles les défauts que la nature, ou quelques autres accidens ont apporté, soit à leur taille, soit à leur visage ? Quelles sont les femmes qui pourront plaire, lorsque ces défauts ne seront plus cachés ? De quelles louanges au contraire, & de quelles récompenses ne sont pas dignes ceux qui mettent leur application à inventer ces ajustemens pas lesquels les défauts sont si bien à couvert ? La Posterité doit donc avoir un grand soin de conserver leur mémoire, surtout de ceux qui ont trouvé cette sage invention d'Echarpes, de Cerceaux, de Paniers, de Criardes, puisque par-là la réputation est toûjours à couvert, & que sans cela le

Sexe soit femme ou fille, lorsqu'il se trouveroit atteint par quelque hazard imprevû de quelque grossesse prématurée, ne pourroit pas mettre à l'abri, ce qui infailliblement causerait de grands scandales, & ne manqueroit pas de préjudicier à l'établissement de plusieurs files, & de mettre quelquefois la dissention dans les ménages des nouveaux Mariés, A CES CAUSES, & autres grandes considerations, de l'avis de toutes les Déesses, & même des Dieux, Nous avons par ces Presentes perpetuelles & irrevocables cassé & annullé, cassons & annullons l'Ordonnance du 27 Aoust 1719. Signée Arethuse de Radamante : Défendons à cette Princesse de ne plus à l'avenir rendre aucune Ordonnance pareille, sous peine d'être chassée & expulsée des susdits Royaumes & Provinces relevant de Nous & de nos Plaisirs : Voulons & Ordonnons que les femmes & filles continuënt à courir les rues & les promenades publiques en Robe de Chambre détroussée, coëffées tantôt en négligé, tantôt en bilboquet, papillon, &c. Leur permettons de porter Paniers, Cerceaux & Criardes, et défendons très-expressément de soupçonner de la moindre bagatelle celles qui en porteront, sous peine d'être perturbateurs du repos public : Leur permettons encore, lorsqu'elles se rencontreront dans les rues, de s'entretenir pendant des heures entières, debout, sur leur pied, de leur ajustement, sans qu'elles puisset être censées Babillardes : Ordonnons pareillement aux Maîtresses-Couturières, Faiseuses de Garniture, & Aprentises, de continuer à fabriquer, & de faire fabriquer tous ajustemens de nouvelle invention, comme Cerceaux, Paniers, Corps, Corsets garnis par le devant de coton, Coëffures en bilboquet, papillon, &c ; Comme aussi de mettre toute leur application à inventer quelques ajustemens utiles au Sexe & capable de rendre le Royaume des Modes florissant. Mandons & enjoignons que ces Présentes soient luës, publiées, &

executées selon leur forme et teneur dans le Royaume des Modes, & Provinces en dépendant. FAIT en nôtre Palais des Plaisirs, ce 6. Octobre 1719, VENUS. *Et plus bas,* par la Déesse COQUETERIE.

LA FEMME FARDÉE

Si les accessoires inventés par la mode pour dissimuler les défauts des femmes sont innombrables – les corsets de Fargue, les « rentrants et les sortants factices » de Proust, les sangles de Montaigne, les linges de Fitelieu – l'artifice par excellence est le *fard*, qui dit à la fois le moyen employé (le maquillage) et le but proposé (l'apparence trompeuse). Rien d'étonnant donc à ce que les textes consacrés à la mode comme artifice concernent avant tout le maquillage.

Défenseurs et détracteurs du fard s'accordent sur sa puissance. Pour Caraccioli, « une toilette est une résurrection qui ranime des squelettes, qui embellit des cadavres, et qui leur donne un éclat surprenant » ; et lorsque Fitelieu décrit la mode, il doit avouer son impuissance à dépeindre son visage « car il est si platré & couvert de tant de mouches, que je ne sçay s'il est humain, ou bien brutal ». La virulence de la querelle autour du fard vient de ce qu'elle prolonge la question de la nature et de l'artifice. C'est donc très logiquement qu'on passe d'un XVIIIe siècle rousseauiste qui critique l'artifice (Diderot, Goudar) à un XIXe siècle de l'art pour l'art qui fait l'éloge du maquillage (Gautier, Baudelaire).

Les arguments contre le fard sont nombreux. Il enlaidit, et Diderot évoque les « secrets dont elles usèrent pour cesser d'être laides et devenir hideuses ». Il trompe et Fitelieu prévient que « le dedans ne vaut rien, si le dehors ne luy ressemble ». Surtout, il est sacrilège en ce qu'il essaye de corriger la nature, œuvre du Créateur : « Nous sommes tels que la Nature nous a formée, & quand nous la voulons perfectioner, c'est en vain ».

Les arguments en faveur du fard répondent aux précédents. A ceux qui prétendent qu'il donne un teint platré, ses défenseurs, et d'abord Gautier, parlent d'une « fine poussière », d'un « mica de marbre». L'accusation de tromperie est renversée comme un gant et Caraccioli réclame de l'artifice : « on veut des visages plâtrés parce qu'on veut de la duplicité ». Aux accusations de crime de lèse nature, Baudelaire rétorque que « la nature ne peut conseiller que le crime » et « n'enseigne rien, ou presque rien, c'est-à-dire qu'elle contraint l'homme à dormir, à boire, à manger, et à se garantir, tant bien que mal, contre les hostilités de l'atmosphère » et qu'au contraire, toute la noblesse de l'homme vient de sa lutte contre ses instincts bestiaux pour se civiliser. Pour Fargue, le fard est le fondement même de la civilisation : « A l'origine de toute société polie, il n'y a pas besoin d'être sourcier pour trouver qu'il y a eu et qu'il y a le fard ». Ainsi, le fard « purifie », « spiritualise », la « parure » est « un des signes de la noblesse primitive de l'âme humaine » et Baudelaire affirme « la haute spiritualité de la toilette ».

Mais pour bien juger des toilettes, il faudrait voir les femmes lorsqu'elles s'y présentent, et lorsqu'elles en sortent. On peut dire qu'une toilette est une résurrection qui ranime des squelettes, qui embellit des cadavres, et qui leur donne un éclat surprenant. Des dents y naissent, des yeux morts s'y réveillent, des haleines y prennent une odeur de tubéreuse et de jasmin, des cheveux s'y colorent, des sourcils s'y noircissent, des fronts s'y dérident, des peaux s'y blanchissent.

La toilette est donc le magasin des agréments, le réservoir des grâces, l'école du savoir-vivre et de la galanterie. Supprimez les toilettes et nos femmes attentives à leur ménage, sans fards et sans apprêts comme nos grosses hollandaises, ne sauront ni médire, ni parler avec insolence, ni faire des infidélités à leurs maris, ni se présenter ni caqueter. On n'aime souvent un pâté qu'à cause de sa croûte, on veut des visages plâtrés parce qu'on veut de la duplicité. La candeur n'est plus bonne, ni dans les mœurs ni dans les physionomies. C'est une vertu de village qui ne convient réellement qu'à des paysannes et qu'on a bien fait de bannir de nos villes.

Louis-Antoine de Caraccioli, *Le livre de quatre couleurs*, 1757.

Mais voyons comme est habillée cette Mode, & ce qu'elle est, levons son masque & nous verrons que c'est un monstre très hideux, une confusion sans pareille, & un abus digne de larmes. Il m'est impossible de vous dépeindre son visage : car il est si plâtré & couvert de tant de mouches, que je ne sçay s'il est humain, ou bien brutal. Il est bien vray qu'il porte des cheveux, mais la plus part du temps, on ne sait qu'en juger pour les poudres qui les couvrent, les cordes qui les frisent, & les coëfes qui les cachent :

[...]

Nous sommes tels que la Nature nous a formée, & quand nous la voulons perfectioner, c'est en vain, les belles choses n'ont pas besoin d'ornements pour se faire admirer, ny les hommes de tels fatras, pour se
faire reconnaître et honorer. Celà est mesme condamné en la personne
d'une femme. Il le doit étre bien d'avantage en la notre.
[...]
Qui achéte un cheval, dit Seneque, ne s'arreste point tant à la selle, ou
à la bride, comme il fait à sa bonté, & qui veut bien juger d'un homme,
le doit faire par le dedans, & le dedans ne vaut rien, si le dehors ne luy
ressemble.

Monsieur de Fitelieu, *La contre-mode*, 1642.

Je ne sais ce que les femmes galantes firent, à peu près dans ce temps,
à Cucufa, mais il se vengea d'elles cruellement. A la fin d'une année,
dont elles avaient passé les nuits au bal, à table et au jeu, et les jours
dans leurs équipages ou entre les bras de leurs amants, elles furent tout
étonnées de se trouver laides : l'une était noire comme une taupe,
l'autre couperosée, celle-ci pâle et maigre, celle-là jaunâtre et ridée : il
fallut pallier ce funeste enchantement ; et nos chimistes découvrirent le
blanc, le rouge, les pommades, les eaux, les mouchoirs de Vénus, le lait
virginal, les mouches et mille autres secrets dont elles usèrent pour
cesser d'être laides et devenir hideuses. Cucufa les tenait sous cette
malédiction, lorsque Erguebzed, qui aimait les belles personnes, inter-
céda pour elles : le génie fit ce qu'il put ; mais le charme avait été si
puissant, qu'il ne put le lever qu'imparfaitement ; et les femmes de cour
restèrent telles que vous les voyez encore.

Denis Diderot, *Les bijoux indiscrets*, 1748.

Les femmes de Paris ressemblent à des furies. La première fois que je me trouvai avec elles dans les promenades publiques, je crus être au milieu d'une assemblée de démons. On dirait qu'une passion violente les agite continuellement. La rage et le désespoir sont peints sur leurs visages : elles ont le teint enflammé, et la peau rouge comme de l'écarlate. Tu ne saurais croire l'effet que cela fait sur un Chinois accoutumé dans son pays à être avec des femmes qui sortent des mains de la nature, et qui en vit pour la première fois de fabriquées par l'art.

[...]

Je te parlerai ailleurs de cette masquarade, ainsi que du travail que les femmes prennent ici pour se rendre laides : car il faut employer beaucoup d'art, et prendre beaucoup de peine, pour flétrir la nature au point de la rendre méconnaissable.

> Ange Goudar, *L'espion chinois*, lettre IV, 1773.

Du rouge :

Moraliste à la manière noire, La Bruyère n'aimait pas le rouge aux joues des femmes de son temps, ce qui était parfaitement de son droit. [...] Je ne voudrais pas hausser démesurément le débat, mais, pourtant, comment ne pas observer, en passant, que La Bruyère semble par avance épouser l'erreur fondamentale de Jean-Jacques ? A l'entendre, en effet, les femmes perdraient, en se fardant, une pureté de teint qu'elles possèdent *naturellement*. Nous savons bien que c'est une illusion. Le teint plombé est très répandu sous le ciel, dans les campagnes, le désert et même la forêt vierge, et il serait aussi dangereux de croire en la fraîcheur innée de l'épiderme féminin qu'en la bonté infuse au cœur des hommes. Se civiliser, c'est-à-dire se rendre agréables à autrui, charmants

à voir, doux à entendre et bons à fréquenter, nul n'ignore que cela ne
s'obtient qu'à force de réagir contre la bête humaine, qui n'est, en nous,
qu'un produit de la nature. A l'origine de toute société polie, il n'y a pas
besoin d'être sourcier pour trouver qu'il y a eu et qu'il y a le fard.

Léon Paul Fargue, De la mode, 1945.

Avec le rare sentiment d'harmonie qui les caractérise, les femmes ont
compris qu'il y avait une sorte de dissonance entre la grande toilette et
la figure *naturelle*. De même que les peintres habiles établissent l'accord
des chairs et des draperies par des glacis légers, les femmes blanchissent leur peau, qui paraîtrait bise à côté des moires, des dentelles, des
satins, et lui donnent une unité de ton préférable à ces martelages de
blanc, de jaune et de rose qu'offrent les teins les plus purs. Au moyen
de cette fine poussière, elles font prendre à leur épiderme un mica de
marbre, et ôtent à leur teint cette santé rougeaude qui est une grossièreté dans notre civilisation, car elle suppose la prédominance des appétits physiques sur les instincts intellectuels. Peut-être même un vague
frisson de pudeur engage-t-il les femmes à poser sur leur col, leurs
épaules, leurs seins et leurs bras ce léger voile de poussière blanche qui
atténue la nudité en lui retirant les chaudes et provocantes couleurs de
la vie. La forme se rapproche ainsi de la statuaire ; elle se spiritualise et
se purifie. Parlerons-nous du noir des yeux, tant blâmé aussi : ces traits
marqués allongent les paupières, dessinent l'arc des sourcils, augmen-
tent l'éclat des yeux, et sont comme les coups de force que les maîtres
donnent aux chefs-d'œuvre qu'ils finissent. La mode a raison sur tous
les points.

Théophile Gautier, De la mode, 1858.

Il est une chanson, tellement triviale et inepte qu'on ne peut guère la citer dans un travail qui a quelques prétentions au sérieux, mais qui traduit fort bien, en style de vaudevilliste, l'esthétique des gens qui ne pensent pas. La nature embellit la beauté ! Il est présumable que le poète, s'il avait pu parler en français, aurait dit : La simplicité embellit la beauté ! ce qui équivaut à cette vérité, d'un genre tout à fait inattendu : Le rien embellit ce qui est. La plupart des erreurs relatives au beau naissent de la fausse conception du dix-huitième siècle relative à la morale. La nature fut prise dans ce temps-là comme base, source et type de tout bien et de tout beau possibles. La négation du péché originel ne fut pas pour peu de chose dans l'aveuglement général de cette époque. Si toutefois nous consentons à en référer simplement au fait visible ; à l'expérience de tous les âges et à la Gazette des Tribunaux, nous verrons que la nature n'enseigne rien, ou presque rien, c'est-à-dire qu'elle contraint l'homme à dormir, à boire, à manger, et à se garantir, tant bien que mal, contre les hostilités de l'atmosphère. C'est elle aussi qui pousse l'homme à tuer son semblable, à le manger, à le séquestrer, à le torturer ; car, sitôt que nous sortons de l'ordre des nécessités et des besoins pour entrer dans celui du luxe et des plaisirs, nous voyons que la nature ne peut conseiller que le crime. C'est cette infaillible nature qui a créé le parricide et l'anthropophagie, et mille autres abominations que la pudeur et la délicatesse nous empêchent de nommer. [...] Je suis ainsi conduit à regarder la parure comme un des signes de la noblesse primitive de l'âme humaine. Les races que notre civilisation, confuse et pervertie, traite volontiers de sauvages, avec un orgueil et une fatuité tout à fait risibles, comprennent, aussi bien que l'enfant, la haute spiritualité de la toilette. Le sauvage et le baby témoignent, par leur aspiration naïve vers le brillant, vers les plumages bariolés, les étoffes chatoyantes, vers la majesté superlative des formes artificielles, de leur dégoût pour le réel, et prouvent ainsi, à leur insu, l'immatérialité de leur âme. Malheur à celui qui, comme Louis XV (qui fut non le produit d'une vraie civilisation, mais d'une récurrence de barbarie) pousse la dépravation jusqu'à ne plus goûter que la simple nature !

Charles Baudelaire, *Curiosités esthétiques*, 1868.

L'EFFÉMINÉ ET LA GARÇONNE

Ceux qui critiquent l'artifice, le fard et le désir de plaire, les tolèrent néanmoins chez les femmes, – en ce qu'elles constituent à la fois sexe faible et beau sexe – dont le goût pour la duplicité et la séduction remonterait à Eve, comme le rappelle avec fatalisme Fitelieu : « ce n'est pas une chose nouvelle que le déguisement soit arrivé par une femme ». En revanche, il est intolérable que les hommes se laissent aller à ces penchants – « l'homme ne doit pas se parer à la façon d'une femme » écrit Della Casa –, qui en amènent irrémédiablement d'autres dans leur sillage : « une ame molle, & un cœur effeminé ». Certains, comme Brant, s'en inquiètent – « les hommes étaient fiers/autrefois de leurs barbes/mais tous actuellement/prennent des airs de filles » et craignent pour le recrutement de l'armée. D'autres préfèrent en rire : Molière se moque des « jeunes muguets » vêtus de « souliers mignons » et de « rubans » et La Bruyère nous livre un portrait tout en minauderie.

Le phénomène symétrique est plus rare – ou paraît moins dangereux – mais existe également, et Miomandre trouve la trace de « garçonnes en 1700 ». Le sous-lieutenant « marquant le pas comme une biche qui a mal aux pieds » est une nouvelle victime d'une mode de guerre. Si au début de la Grande Guerre, certaines femmes arborent de faux ventres, « promesses fallacieuses de naissances imminentes », par « patriotisme », par « orgueil de pouvoir donner à la France des soldats », d'autres plus tard préfèrent s'habiller en soldats de pacotille, au désespoir de leurs

Poilus de maris qui, chez Colette, rêvent de « *La Femme*, mirage, espoir, souvenir magnifique, tourment et réconfort de toutes les heures ». Si les permissionnaires doivent un jour retrouver cette *Femme* phantasmée, cette « grasse beauté », ce ne sera certainement pas chez les couturiers qui lui préfèrent « des petites têtes garçonnières », « types accomplis de la grâce sans sexe ». Colette nous offre ainsi une description du mannequin des années vingt, qui s'est révélé un des modèles féminins les plus durables du siècle.

Ce qui jadis passait
pour un honteux outrage
aux mœurs et la décence
est aujourd'hui normal
et s'imite partout :
les hommes étaient fiers
autrefois de leurs barbes
mais tous actuellement
prennent des airs de filles,
s'enduisant le visage
de pommade de singe,
enroulant des colliers,
des anneaux et des chaînes
sur leurs cous déplumés,
comme pour les offrir
au bon Saint Léonard.
On s'enduit les cheveux
de soufre et de résine,
on y bat un blanc d'œuf,
puis on les fait friser,
les coiffant pour sécher
du casque d'un panier.
L'un expose sa tête
à la fenêtre ouverte,
l'autre se décolore
au soleil et au feu,
mais ses légions de poux
n'en vaudront pas plus cher :

ils vivront très à l'aise
dans les plis des habits :
robe, manteau et fraise,
capuchon et foulard,
souliers, bottes, pantoufles,
chausses, cols de fourrure,
ainsi que parements,
comme aux cafetans juifs
que l'on voit revenir.
Une mode nouvelle
chasse toujours l'ancienne,
ce qui est une preuve
de notre esprit léger,
changeant et versatile,
accessible au scandale
des robes raccourcies
qui descendent à peine
jusque vers le nombril !
Fi donc à l'Allemagne
qui admet qu'on découvre
et qu'on étale à nu
ce qui dans la nature
reste caché aux yeux !
C'est pourquoi tout va mal
et le niveau bientôt
risque encor de tomber.
Malheur à ceux par qui
arrive le scandale !

Malheur à qui n'empêche
que le scandale arrive!
C'est un cruel salaire
Qui l'attendra un jour !

Sébastien Brant, *La nef des fous,* 1494.

Nos Démoiseaux ne sont pas moins effeminés que les femmes mesmes, quand ils sont tousjours à loüer les chapeaux à la mode, les testes à la mode, les moustaches à la mode, les rabats à la mode, les chemises à la mode, les éguillettes à la mode, les bas de soye à la mode, les jartieres et les bottes à la mode, les étoffes et les façons à la mode, & qu'au lieu de juger d'un honneste homme par ses actions ils en jugent par ses habits.

Monsieur de Grenaille, *La mode*, 1642.

C'est asses travaillé, Diogéne François, pour rencontrer cet homme que tu recherches parmy la France : pauvre Aveuglé, il est hors de ton pouvoir de le trouver, si tu ne suis la Mode à laquelle il s'attache, ou qui l'attache, puisqu'il est son Esclave, pour ne dire idolatre.
[...]
Cet homme n'est plus, helas ! cete statuë d'or de Chrisostome, car il est un paon couvert de tout autant de couleurs en ses plumes, qu'il change de façon de faire et de vivre. Il n'est, non plus ce beau tableau tracé par la main de Dieu avec conseil, dans la Genese, par similitude ou par essence, car il a effacé ses beaux lineamens, dit sainct Ambroise, & ne se souvient plus qu'il est homme, qu'en tant que la Mode le fait tel : il

est l'image de la Mode, non pas de Dieu. Il vit comme autrefois ceux de Carthage qui sont repris par Salvian, & au lieu de rougir pour se voir dementir la force d'un homme en s'adonnant aux actions de femme, il luy fache qu'on sçache qu'il a quelque reste encor de vertu qui l'em- péche de parétre tout femme.

[...]

Et à dire le vray, il y a bien de quoy s'étonner, si l'on considere que sous un visage d'homme, la plus part de ceux qui vivent en ce siecle perdu, portent des cœurs de femmes, & degenerent pour embrasser une Mode qu'on ne connoist point, qu'à la faveur d'une fantaisie qui se forme mille chimeres, & les veut faire subsister en depit de leur nature. C'est- la le plus grand des abus qui regnent aujourd'huy digne de larmes, la perte des plus beaux esprits & l'amusement de tout le monde. C'est cette grande statuë de Nabuchodonosor, que toute cette grande Babylone idolatre, tout le monde flechit le genouïl devant la vanité de ses autels, & ne se rencontre pas la moindre femmelette, qui ne se sente portée par quelque dévotion à son endroit, elle luy ressemble par- faitement.

[...]

Comme dans le genre humain deux sexes se rencontrent, aussi dans le temps où nous vivons, la Mode compose deux visages divers qui per- dent neantmoins le masculin pour établir entierement celuy des femmes. Et ce n'est pas une chose nouvelle que le déguisement soit arrivé par une femme.

[...]

& d'où croyez-vous que l'on rencontre maintenant si peu de soldats en France ? Cest cette Mode qui les perd & leur apprend à devenir effe- minez ;

[...]

de quoy servent tant d'éguilettes à la ceinture & au bas des hauts de chausse, de chausses avec leur petites denteles & leurs ribans satinés ? que deviennent ces boutons à milliers, ces petites bastes, et les désordres qu'on veut qu'ils leur donnent bonne grace ? & que profite toute cette vanité qui nous acuse de folie ? Ce sont des marques d'orgueil, & des nids de paillardise, ainsi que le Petrarque le veut, & qui reprochent à l'homme une ame molle, & un cœur effeminé.

Monsieur de Fitelieu, *La contre-mode*, 1642.

Il est vrai qu'à la mode il faut m'assujettir,
Et ce n'est pas pour moi que je me dois vêtir !
Ne voudriez-vous point, par vos belles sornettes,
Monsieur mon frère aîné (car, Dieu merci, vous l'êtes
D'une vingtaine d'ans, à ne vous rien celer,
Et cela ne vaut point la peine d'en parler),
Ne voudriez-vous point, dis-je, sur ces matières,
De vos jeunes muguets m'inspirer les manières ?
M'obliger à porter de ces petits chapeaux
Qui laissent éventer leurs débiles cerveaux,
Et de ces blonds cheveux, de qui la vaste enflure
Des visages humains offusque la figure ?
De ces petits pourpoints sous les bras se perdants,
Et de ces grands collets jusqu'au nombril pendants ?
De ces manches qu'à table on voit tâter les sauces,
Et de ces cotillons appelés hauts-de-chausses ?
De ces souliers mignons, de rubans revêtus,
Qui vous font ressembler à des pigeons pattus ?

Et de ces grands canons où, comme en des entraves,
On met tous les matins ses deux jambes esclaves,
Et par qui nous voyons ces Messieurs les galants
Marcher écarquillés ainsi que des volants ?
Je vous plairois, sans doute, équipé de la sorte ;
Et je vous vois porter les sottises qu'on porte.

Molière, *L'école des maris*, I, i, 1661.

C'est pourquoi l'homme ne doit pas se parer à la façon d'une femme, afin qu'il n'y ait pas d'un côté la parure et de l'autre le corps, comme je vois faire à certains qui se frisent au fer chaud les cheveux et la barbe, qui ont le visage, le cou et les mains si bien frottés et refrottés que cela choquerait chez une donzelle, voire chez la prostituée la plus pressée de mettre en vente sa marchandise et d'en tirer un bon prix. On ne doit ni puer ni être parfumé, car une personne de qualité ne doit pas sentir le faquin, et d'un homme ne doit pas venir une odeur de femme ou de prostituée.

Giovani Della Casa, *Galatée ou des manières*, 1558.

Il a la main douce, et il l'entretien avec une pâte de senteur ; il a soin de rire pour montrer ses dents ; il fait la petite bouche, et il n'y a guère de moments où il ne veuille sourire ; il regarde ses jambes, et se voit au miroir : l'on ne peut être plus content de personne qu'il l'est de lui-même ; il s'est acquis une voix claire et délicate, et heureusement il parle gras ; il a un mouvement de tête, et je ne sais quel adoucissement dans les yeux, dont il n'oublie pas de s'embellir ; il a une démarche molle et le plus joli maintien qu'il est capable de se procurer ; il met du rouge, mais rarement, il n'en fait pas habitude. Il est vrai aussi qu'il porte des chausses et un chapeau, et qu'il n'a ni boucles d'oreilles ni collier de perles ; aussi ne l'ai-je pas mis dans le chapitre des femmes.

Jean de la Bruyère, *Les caractères*, 1688.

Fumant, portant la chevelure courte, vêtue de pyjamas ou de costumes sportifs, la femme est de plus en plus pareille à l'homme. Vais-je m'en affliger ? Ou croire que c'est une aberration spéciale à mon temps ? Que non ! Car, dans un vieux bouquin sans nom d'auteur paru en 1700 sous ce titre : *Le théophraste moderne, ou Nouveaux caractères sur les mœurs,* je lis ceci :

« Les femmes goûtent nos usages, nous goûtons les usages des femmes : comme nous elles prennent du tabac, fument et boivent des liqueurs ; comme elles, nous mettons des mouches, du fard, et nous avons recours aux pommades : l'échange s'est fait entre elles et nous ». Des garçonnes en 1700, qui l'aurait cru ?

François de Miomandre, *La mode*, 1927.

Les dames ont adopté, depuis peu, d'aller en cabriolet sans cavalier ; elles y vont seules, elles y vont à deux, mais sans hommes ; on dirait qu'elles voudraient changer de sexe.

Le vêtement des femmes doit avoir un sexe ; et cet habillement doit contraster avec le nôtre. Une femme doit être femme des pieds à la tête ; plus une femme ressemblera à un homme, plus elle perdra à coup sûr.

Mais les femmes se rapprochent le plus qu'elles peuvent de nos usages. Elles portent actuellement les habits d'hommes, une redingote à trois collets, des cheveux liés en catogan, une badine à la main, des souliers à talons plats, deux montres, et un gilet coupé.

Louis-Sébastien Mercier, *Tableau de Paris*, XI, dccclvi, 1781-1789.

Je suis descendu à la gare de l'Est, ému, flageolant, sans voix, cherchant sur le quai celle dont l'image dernière, en six mois, n'a pu pâlir dans ma mémoire : une jeune femme blonde, mince, en robe d'été, le cou et un peu de la gorge visibles dans le décolletage d'une chemisette de linon – une jeune femme si femme, et si faible, et si brave à l'heure de la séparation, si illuminée de rire et de larmes... Je la cherchais, Madame, lorsqu'un cri étranglé m'appela, et je tombai dans les bras... d'un petit sous-lieutenant délicieux, qui fondit en pleurs sur mon épaule en bégayant : « Mon chéri, mon chéri... » et m'embrassa de la plus scandaleuse manière. Ce sous-lieutenant, c'était ma femme. Une capote de drap gris-bleu, à deux rangées de boutons, l'équipait à la dernière mode des tranchées, et ses petites oreilles sortaient toutes nues d'un bonnet de police galonné d'or bruni. Un raide col de dolman tenait levé son cou tendre : elle avait en outre épinglé sur sa poitrine un drapeau belge et un autre colifichet qu'elle me nomma tout de suite son « amour de 75 ».

Nous quittâmes la gare, bras dessus, bras dessous, en amoureux ; les manches de nos capotes s'épousaient étroitement. Je regardais, dans le vent froid, voltiger derrière son oreille les mèches blondes du sous-lieut... pardon, de ma femme. Nous croisions, sur le trottoir, d'étranges passantes ; il m'arriva d'esquisser un salut involontaire vers une solide capitaine bleu gendarme, sévère et boutonnée, puis en frôlant une jeune personne, mince et sanglée, sur qui il me sembla reconnaître l'uniforme du Cadre noir, interprété en fantaisie, et aussi en laissant le pas à une officière anglaise en imperméable kaki.

[...]

Que nous disaient les grincheux, que nous manquions d'uniformes pour les hommes des dépôts ? Pas étonnant, nos femmes accaparent le drap-cuir, les ganses et les passepoils. Femmes, ô nos femmes, c'est là un patriotisme à la Béchoff qu'il vous faudra quitter, si vous voulez nous plaire. Vareuse, dolman, bonnets à galon, pourquoi pas l'épingle-baïonnette et le sac au dos au lieu du sac à main ? [...] Craignez le moment où, rentrés dans nos bons vieux costumes civils, dans nos chaussures citadines, nous retrouverons sur vous, quoi ?... La guerre au foyer, la guerre à vingt-neuf francs la blouse, la guerre à quatre-vingt-dix-neuf francs l'équipement complet, la guerre à dix francs soixante-quinze le képi... Je m'écrie déjà, comme si j'y étais : « Ah ! non, je la connais... je l'ai faite ! La paix, pour Dieu, la paix ! »

J'ai fini, Madame. J'ai presque tout dit. Pendant que je vous écris, un de mes hommes, à côté de moi, peint délicatement des cartes postales à l'aquarelle – ce n'est pas l'eau qui lui manque. Il enlumine avec amour un sujet, toujours le même : une grasse beauté, couchée sur des nues, se drape tantôt d'une gaze, tantôt d'une guirlande, parfois d'un éventail et d'un collier. Il peint *La Femme*, mirage, espoir, souvenir magnifique, tourment et réconfort de toutes les heures. Mais je vous assure bien que ce peintre ingénu n'aura jamais l'idée d'évoquer la Merveille du monde sous l'apparence d'un petit militaire français, frêle d'épaules et bref de taille, et marquant le pas comme une biche qui a mal aux pieds.

Colette, *Les heures longues*, 1917.

Logique, logique féminine, décisions consternantes, soudains mouvements peut-être longtemps mûris, secrets des petites têtes garçonnières, arrogantes au-dessus des gaines d'or et de perles... Chez les couturiers, le faste de Byzance se promène sur des collégiens tondus. Lelong drape de ravissants petits empereurs de la décadence, des types accomplis de la grâce sans sexe, si jeunes et si ambigus que je ne pus me tenir de suggérer au jeune couturier un jour que l'orage, en sa cour mannequine, grondait :

– Que n'employez-vous – oh ! en toute innocence – quelques adolescents ? L'épaule fringante, le cou bien attaché, la jambe longue, le sein et la hanche absents, il n'en manque pas qui donneraient le change sur...

– J'entends bien, interrompit le jeune maître de la couture. Mais les jeunes garçons qu'on accoutume à la robe prennent, très vite, une allure, une grâce exagérément féminines au voisinage desquelles mes jeunes mannequins femmes, je vous l'assure, ressembleraient toutes à des travestis.

Colette, « Logique », *Le voyage égoïste*, 1922.

Du politique

COMMUNAUTÉ ET ÉLECTION

Les innombrables portraits allégoriques de la mode l'ont assez montré : la mode est politique. Sa souveraineté dit bien qu'elle concerne l'ensemble du corps social. Et c'est précisément sur ce caractère souverain et universel que les auteurs s'accordent ; ceux qui offraient des vues diverses ou contradictoires à propos de l'artifice ou de la variété sont unanimes lorsqu'il s'agit de l'obligation sociale d'obéir à la mode. Chez Castiglione et Molière, il faut « s'accommoder » et chez Della Casa, Gracian, Montaigne et Morand, le maître mot est « suivre » : « Toujours au plus grand nombre on doit s'accommoder » et « il vaut mieux suivre la mode, même si elle est laide ».

Cette « laideur » est comme la contrainte qui permet d'éprouver la volonté des individus à vivre en société et à se plier à ses règles. Car en refusant la mode, on s'exclut soi-même de la communauté des hommes, ce qui revient à dire qu'on se déshumanise, à considérer l'homme comme un animal politique. Si le vêtement distingue l'homme de la bête brute, la mode le définit comme citoyen. Dans les textes, le paradigme récurrent est celui du fou et du sage, avec un flottement délibéré de la référence puisqu'il s'agit d'être fou en société plutôt que sage et exclu. On retrouve ce lieu commun dans des formulations presque identiques chez Montaigne, Gracian, Molière, Louis Petit et encore dans un pamphlet anonyme de 1712.

Si l'uniformité et le conformisme doivent être prêchés, c'est bien que des voix s'élèvent pour se faire entendre et se distinguer. Car à côté de ceux qui se coulent dans un uniforme par politique politicienne voire machiavélique, afin d'avoir les coudées franches pour exercer leurs stratégies d'éminences grises, d'autres ont toujours préféré se parer pour mieux paraître et sortir du lot. Et comme l'individuation se fait nécessairement par rapport à la communauté, elle tourne obligatoirement à la compétition. Erasme le constatait déjà chez les moines : « Ce qu'ils ambitionnent n'est pas de ressembler au Christ, mais de se différencier entre eux » ; Miomandre chez les femmes : « Mais la vérité, c'est qu'elles s'habillent pour s'étonner réciproquement ». A la logique centripète du corps social s'oppose les logiques centrifuges des individus, confinant à l'égoïsme : « La curiosité n'est pas un goût pour ce qui est bon ou ce qui est beau, mais pour ce qui est rare, unique, pour ce qu'on a et ce que les autres n'ont point » glose La Bruyère, et Grenaille résume : « l'ambition est une des principales causes de la Mode ».

On découvre ainsi le moteur social et moral de la mode et de ses changements perpétuels. Dès qu'une mode est suivie, des individus éprouvent le besoin de se distinguer, et dès que la masse les rejoint une fois encore, ils sont contraints à quelque nouvelle invention. Grenaille explique que « le plus certain prognostique qu'on puisse avoir pour reconnoistre si une mode passera bien-tôt, c'est de regarder si elle a passé dans l'approbation de toutes sortes de personnes. Elle sera bientôt rejettée puisqu'elle est si bien receüe. ». Muguets et mirliflores, incroyables et merveilleuses, snobs et dandys, les précurseurs sont condamnés à se distinguer et abandonnent à la masse la « confection », lui préférant une « fashion réservée » et « *plus gratinée* » selon les expressions d'Uzanne. Et Balzac résume brutalement le rapport entre la communauté et les quelques élus : « Les esprits intelligents et éclairés marchent en avant et indiquent la route ; la masse les suit bon gré mal gré, plus ou moins vite ».

SE FONDRE

Chacun doit aller bien habillé selon sa condition et selon son âge, car en faisant autrement, on semble mépriser les gens. [...] Et non seulement les habits doivent être de drap fin, mais l'on doit s'efforcer de s'approcher le plus qu'on peut du costume de ses concitoyens, et se plier aux usages, même si peut-être ils sont, ou paraissent être moins commodes ou moins élégants que ceux de l'ancien temps. Et si toute la cité porte les cheveux courts, on ne doit pas laisser les siens flotter sur les épaules. Si les autres portent la barbe, on ne doit pas raser la sienne, car c'est une façon de contredire autrui : et cela, contredire les autres dans les manières de faire, on ne doit s'y résoudre qu'en cas de nécessité, comme nous le dirons plus loin ; car, plus que toute autre mauvaise manière, celle-là nous rend odieux à la plupart des gens. C'est pourquoi on ne doit pas s'opposer aux usages communs dans ce domaine, mais s'y conformer avec modération afin de ne pas être le seul dans la région à porter la soubreveste longue jusqu'aux talons, quand tous les autres la portent très courte, un peu plus bas que la ceinture. Quand quelqu'un en effet a la face camuse, c'est-à-dire formée contrairement à ce que la nature a l'habitude de faire le plus souvent, tout le monde se retourne pour le regarder ; la même chose arrive à ceux qui ne s'habillent pas selon la coutume de la majorité, mais selon leur fantaisie et avec de belles et longues perruques, ou qui ont la barbe coupée ou rasée, ou bien encore qui portent des bonnets ou certains grand bérets à l'allemande : chacun se retourne pour les voir, on fait cercle autour d'eux, comme s'ils avaient entrepris de gagner un combat contre toute la région où ils vivent. Les vêtements doivent aussi être bien ajustés et adaptés au corps, car ceux qui ont des robes riches et somptueuses, mais qui leur vont si mal qu'elles semblent ne pas avoir été faites pour eux, donnent à entendre l'une de ces deux choses : ou bien qu'ils ne se soucient aucunement de plaire ou de déplaire aux gens, ou bien qu'ils ne savent pas ce que sont la grâce et la mesure. Ceux-là, avec leurs manière, font si bien que ceux qu'ils fréquentent soupçonnent d'être tenus en peu d'estime aussi ne sont-il pas volontiers reçus dans la plupart des compagnies et y sont-ils peu aimés.

Toutefois il peut arriver souvent que ce qui déplaît aux sens déplaise aussi à l'entendement, mais pas pour la même raison que je t'ai dite toute à l'heure, quand je t'ai montré que l'on doit s'habiller de la même façon que les autres s'habillent, afin qu'on ne semble pas vouloir les reprendre et les corriger : la chose est désagréable à l'appétit de la plupart des gens, qui aiment à être loués, mais elle déplaît aussi au jugement des hommes intelligents, parce que les habits qui sont d'un autre siècle ne s'accordent pas avec une personne qui vit dans celui-ci. De la même façon ceux qui s'habillent chez le fripier sont déplaisants, car il semble que leur pourpoint veuille s'empoigner avec leurs souliers, et leurs habits leur vont mal.

[...]

Il faut que tes habits suivent la mode des hommes de ton temps et de ta condition, pour les raisons que je t'ai dites ci-dessus ; car nous n'avons pas le pouvoir de changer les usages à notre gré, mais le temps les fait naître, et le temps aussi les fait disparaître. Chacun peut bien s'approprier l'usage commun. Car si tu as par hasard les jambes très longues et que la mode soit de porter des vêtements courts, tu pourras faire que le tien soit parmi les moins courts, et non parmi les plus courts. Et si quelqu'un a les jambes trop grêles ou grosses outre mesure, ou peut-être torses, il ne doit pas porter des chausses de couleur trop vive, ou qui soient trop élégantes, pour ne pas inviter les autres à regarder son défaut. Aucun de tes habits ne doit être exagérément somptueux ou orné, afin qu'on ne dise pas que tu portes les chausses de Ganymède ou que tu as revêtu le pourpoint de Cupidon, mais quels qu'ils soient, ils doivent être ajustés à ton corps et t'aller bien afin que tu n'aies pas l'air d'avoir sur le dos les vêtements d'un autre.

Giovani Della Casa, Galatée ou des manières, 1558.

Bref, la mode est à la concorde.
[...] Qui la fuit, qui l'ignore, passe à côté de l'existence.
[...] Il faut être à la mode partout. « Il faut être de son temps », disait Daumier. Je me permettrai d'ajouter : « En comprenant qu'il y a sous la mode des choses graves et permanentes. »

Léon Paul Fargue, De la mode, 1945.

Quant aux choses indifferentes, comme vestemens, qui les voudra ramener à leur vraye fin, qui est le service et commodité du corps, d'où depend leur grace et bienseance originelle, pour les plus fantasticques à mon gré qui se puissent imaginer, je luy donray entre autres nos bonnets carrez : cette longue queuë de veloux plissé, qui pend aux testes de nos femmes, avec son attirail bigarré : et ce vain modelle et inutile, d'un membre que nous ne pouvons seulement honnestement nommer, duquel toutesfois nous faisons montre et parade en public. Ces considerations ne destournent pourtant pas un homme d'entendement de suivre le stile commun : Ains au rebours, il me semble que toutes

façons escartees et particulieres partent plustost de folie, ou d'affecta-
tion ambitieuse, que de vraye raison : et que le sage doit au dedans reti-
rer son ame de la presse, et la tenir en liberté et puissance de juger
librement des choses : mais quant au dehors, qu'il doit suivre entierement les façons et formes receuës. La societé publique n'a que faire de
nos pensees : mais le demeurant, comme nos actions, nostre travail,
nos fortunes et nostre vie, il la faut prester et abandonner à son service et aux opinions communes : comme ce bon et grand Socrates refu-
sa de sauver sa vie par la desobeissance du magistrat, voire d'un magistrat tres-injuste et tres-inique. Car c'est la regle des regles, et generale
loy des loix, que chacun observe celles du lieu où il est.

Michel de Montaigne, *Essais*, I, xxii, 1595.

Il vaut mieux suivre la mode, même si elle est laide. S'en éloigner, c'est
devenir aussitôt un personnage comique, ce qui est terrifiant. Personne
n'est assez fort pour être plus fort que la mode.
[...]
Les gens du métier ne sont pas faits pour penser à l'excentricité, mais
bien au contraire, pour remédier à ce qu'elle peut avoir d'exagéré.
J'aime mieux le trop comme-il-faut. Il faut cultiver les moyennes ; une
femme trop belle fait de la peine aux autres et une trop laide attriste le
sexe fort.
[...]
Le Français n'a pas le sens des masses ; ce qui fait la beauté d'une *her-
bacious border*, dans un jardin anglais, c'est la masse ; un bégonia, une
marguerite, un pied d'alouette, isolés, n'ont rien de sublime, mais sur
vingt pieds d'épaisseur, cette unité florale devient magnifique.

– Cela ôte toute originalité à la femme !

Erreur : les femmes gardaient leur beauté individuelle en participant à un ensemble. Prenez une figurante de music-hall ; isolez-la : c'est un pantin affreux ; remettez-la dans le rang : non seulement elle reprend toutes ses qualités, mais, par comparaison avec ses voisines, sa personnalité ressort.

Paul Morand, *L'allure de Chanel*, 1976.

« Messire Federico », dit alors Julien le Magnifique, « puisque vous avez fait mention de ceux qui accompagnent si volontiers ceux qu'ils voient bien vêtus, je voudrais que vous montrassiez de quelle manière se doit vêtir le Courtisan, quel habillement lui est le plus convenable, et quelles règles il doit suivre pour ce qui est des divers ornements de son corps. Car dans ce domaine nous voyons une infinie variété : l'un s'habille à la française, l'autre à l'espagnole, le troisième veut paraître allemand ; et même il y en a qui se vêtent à la manière des Turcs ; l'un porte la barbe, et l'autre non. Ce serait donc une bonne chose, dans cette confusion, que de savoir choisir le meilleur ».

« Véritablement », dit messire Federico, « je ne saurais donner de règle certaine touchant l'habillement, si ce n'est que l'on doit s'accommoder à la coutume de la majorité ; et puisque, comme vous dites, cette coutume est si variée, et les Italiens si enclins à s'habiller à la mode d'autrui, je pense qu'il est loisible à chacun de se vêtir à sa fantaisie.

Mais je ne sais par quelle fatalité il advient que l'Italie n'a pas, comme elle l'avait avant, un habit qui soit reconnu pour italien ; car bien que l'usage de ces nouveaux habits fasse trouver grossière l'ancienne façon de s'habiller, peut-être cette ancienne façon était-elle signe de liberté, comme la nouvelle a été présage de servitude, de cette servitude qui, maintenant, me semble très clairement accomplie. L'on écrit que quand Darius, l'année avant qu'il combattît contre Alexandre, fit adapter l'épée qu'il portait au côté, et qui était perse, à la mode de Macédoine, cela fut interprété par les devins comme signifiant que ceux à la mode desquels Darius avait changé la forme de l'épée perse viendraient à dominer la Perse ; de même, avoir changé nos habits italiens en habits étrangers, me semble avoir signifié que tous ceux dans les habits desquels les nôtres se sont transformés devaient venir nous soumettre ; ce qui n'a été que trop vrai, car aujourd'hui il ne reste pas de nation au monde dont nous n'ayons été la proie, si bien qu'il n'y a plus guère de chose à prendre, et pourtant on ne cesse de nous piller encore.

Baltassare Castiglione, *Le livre du courtisan*, 1528.

Etre plutôt fou avec tous que sage tout seul.
Car si tous le sont, il n'y a rien à perdre, disent les politiques, au lieu que si la sagesse est toute seule, elle passera pour folie. Il faut donc suivre l'usage. Quelquefois le plus grand savoir est de ne rien savoir, ou du moins d'en faire semblant. L'on a besoin de vivre avec les autres, et les ignorants font le grand nombre. Pour vivre seul, il faut tenir beaucoup de la nature de Dieu, ou être tout à fait de celle des bêtes. Mais, pour modifier l'aphorisme, je dirais : *plutôt sage avec les autres que fou sans compagnon.* Quelques-uns affectent d'être singuliers en chimères.

Baltasar Gracian, *L'homme de cour*, 1646.

Mais qui peut distinguer le fou d'avec le sage ;
Quand de l'homme à la mode on fait le personnage ;
Et que peut-on juger de tous ces changemens
Qu'elle introduit sans fin dans les habillemens,
A quoy, sans raisonner, tout le monde défère,
Sinon que les François ont la teste légère ?
[...]
La mode est donc le Dieu presque de tout le monde.
La raison en raison contre elle en vain se fonde :
Il faut bien s'y soumettre, en dépit qu'on en ait,
A moins que de passer pour un esprit mal fait.

  Louis Petit, *Satyre contre la mode* (1686), in *Recueil curieux...*

Je sçay bien que tous nos volans,
Nos cottillons et nos troussures,
Passent, chez les honnêtes gens,
Pour d'impertinentes parures :
Il faut pourtant s'y conformer
Si l'on ne veut passer pour folle.

Anonyme, *Réponse à la critique des femmes, Sur leurs manteaux-volants,*
paniers, criardes ou cerceaux, dont elles font enfler leurs jupes (1712),
in *Recueil curieux...*

Entre les excuses qu'elles apportent pour leur défense, il y en a qui sont communes aux filles et aux femmes, et il y en a qui sont particulières aux unes et aux autres. La première et la plus générale est la mode et la coutume. Il est permis, disent-elles, de faire ce que les autres font ; ce n'est pas dans une seule ville, c'est dans divers royaumes, que les filles et les femmes vont en public le sein et les épaules découverts, et cet usage n'est pas un usage introduit depuis quelques années, mais depuis plusieurs siècles, de sorte qu'on ne peut le condamner sans faire le procès à des nations et à des générations entières.

Abbé Boileau, *De l'abus des nudités de gorge*, 1677.

Toujours au plus grand nombre on doit s'accommoder,
Et jamais il ne faut se faire regarder.
L'un et l'autre excès choque, et tout homme bien sage
Doit faire des habits ainsi que du langage,
N'y rien trop affecter, et sans empressement
Suivre ce que l'usage y fait de changement.
Mon sentiment n'est pas qu'on prenne la méthode
De ceux qu'on voit toujours renchérir sur la mode,
Et qui dans ses excès, dont ils sont amoureux,
Seroient fâchés qu'un autre eût été plus loin qu'eux ;
Mais je tiens qu'il est mal, sur quoi que l'on se fonde,
De fuir obstinément ce que suit tout le monde,
Et qu'il vaut mieux souffrir d'être au nombre des fous,
Que du sage parti se voir seul contre tous.

Molière, *L'école des maris*, I, i, 1661.

Enay : Voilà bien des affaires, mais puis que vous me les contez aussi privément, vous ne trouverez pas mauvais que je vous demende pourquoi vous vous donnez tant de peines ?

Foeneste : Pour parestre.

Enay : Comment paroist-on aujourd'hui à la cour ?

F : Premièrement, faut estre vien bestu à la mode de trois ou quatre Messieurs qui ont l'autourité : il faut perpunt de quatre ou cinq tafetas sur l'autre, des chausses comme celles que bous boyez, dans lesquelles tant frise qu'escarlatte, je bous puis assurer de huict haulnes d'estoffe pour le mens.

[...]

Enay : Et bien voilà pour les habillemens. Etans ainsi vestus à la trotte qui mode, que faites-vous près pour paroître ?

Théodore Agrippa d'Aubigné, *Aventures du baron de Fœneste* (1617),
in *Recueil curieux...*

Un homme fat et ridicule porte un long chapeau, un pourpoint à ailerons, des chausses à aiguillettes et des bottines ; il rêve la veille par où et comment il pourra se faire remarquer le jour qui suit. Un philosophe se laisse habiller par son tailleur : il y a autant de faiblesse à fuir la mode qu'à l'affecter.

Jean de La Bruyère, *Les caractères*, 1688.

SE DISTINGUER

Combien de nœuds à la sandale, quelle couleur à la ceinture, quelle bigarrure au vêtement, de quelle largeur le capuchon et de combien de doigts la tonsure. Des hommes qui professent la charité apostolique, poussent les hauts cris pour un habit différemment serré, pour une couleur un peu plus sombre. Ce qu'ils ambitionnent n'est pas de ressembler au Christ, mais de se différencier entre eux.

Erasme, *Eloge de la folie*, 1511.

La curiosité n'est pas un goût pour ce qui est bon ou ce qui est beau, mais pour ce qui est rare, unique, pour ce qu'on a et ce que les autres n'ont point. Ce n'est pas un attachement à ce qui est parfait, mais à ce qui est couru, à ce qui est à la mode. Ce n'est pas un amusement, mais une passion, et souvent si violente, qu'elle ne cède à l'amour et à l'ambition que par la petitesse de son objet. Ce n'est pas une passion qu'on a généralement pour les choses rares et qui ont cours, mais qu'on a seulement pour une certaine chose, qui est rare, et pourtant à la mode.

Jean de La Bruyère, *Les caractères*, 1688.

Madame vient de se faire faire une robe nouvelle. Elle appelle son mari. Il y a tout d'abord entre ces deux êtres un long moment de silence. Monsieur, effaré, tourne autour de sa femme d'un air important, afin de dissimuler le vide de son esprit. [...] Le mystère de la robe crée un abîme entre l'esprit de l'homme et celui de la femme. Pour qui s'habillent-elles ?

Les femmes croient, sincèrement, qu'elles s'habillent pour nous. Ou pour elles. Mais la vérité, c'est qu'elles s'habillent pour s'étonner réciproquement.

François de Miomandre, *La mode*, 1927.

La parure, les chapeaux forment la principale félicité des femmes. Eh ! comment aiment-elles encore quelque chose, après la fureur qu'elles mettent à effacer leurs rivales par les ajustements ?
[...]
Ce qui chagrine le plus une femme de qualité, c'est de voir une bourgeoise l'emporter sur elle en ajustements frais et de nouveau goût : cette hardiesse de parure lui paraît un attentat envers la noblesse.

Louis-Sébastien Mercier, *Tableau de Paris*, II, clxviii, 1781-1789.

La mode a ses préjugés comme toutes les autres parties de la science humaine. Ainsi, beaucoup de gens croient être à la mode parce qu'ils sont habillés suivant les prescriptions de ces journaux vulgaires que nous combattons de tout notre pouvoir. Cette croyance est une erreur. [...] Il ne suffit pas d'avoir la véritable étoffe nouvelle, de s'habiller chez Blain, de faire faire ses robes par Victorine ; ses voitures, chez Thomas-Baptiste ; ses *tigres*, en Angleterre ; ses gants, chez Bodier ; pour être à la mode, il faut encore saluer, parler, chanter, s'asseoir, discuter, manger, boire, marcher, danser comme le veut et l'ordonne la mode. [...]
Aujourd'hui ces nuances ont acquis une véritable importance ; car maintenant que nos mœurs tendent à tout niveler, maintenant que le

commis à douze cents francs peut l'emporter sur un marquis par la grâce des manières, par l'élégance du costume, et peut quelquefois l'écraser par la puissance de la parole, les nuances seulement permettent aux gens comme il faut de se reconnaître au milieu de la foule.

Honoré de Balzac, « Des mots à la mode », *La Mode*, 1830.

Heureusement, c'est une loi de l'ordre moral, que les esprits intelligents et éclairés marchent en avant et indiquent la route ; la masse les suit bon gré mal gré, plus ou moins vite ; elle adopte ce qui est bien, et le pratique souvent à son insu, sans le comprendre. Fions-nous donc au temps et à la marche nécessaire des choses pour établir et achever l'édifice des idées nouvelles en toilette. Déjà des mains habiles en préparent et assemblent les matériaux ; heureux si je puis dire aussi, moi chétif, que j'ai apporté une pierre toute taillée au seuil du temple !

Honoré de Balzac, « Physiologie de la Toilette », *La Silhouette*, 1830.

Au reste, comme tous les tyrans, la mode n'exerce entièrement son pouvoir que sur ceux qui sont trop faibles pour lui résister. Sans heurter de front ses arrêts, on peut les accommoder à sa guise ; avant d'être mis à la mode, il faut être bien mis ; l'homme de goût pare ce qu'il porte, bien plutôt qu'il n'en est paré ; et la mode, en pliant devant sa convenance ou son caprice, acquiert presque toujours plus de grâce et d'agrément.

Honoré de Balzac, « Méditations sur la mode »,
Code de la Toilette, 1828.

J'admets, en effet, continua-t-il, que la mode féminine est aujourd'hui un art vivant qui fleurit à la surface des sociétés et se développe avec elles. J'ajouterai qu'il n'y a pas une mode, mais deux sortes de modes très différentes : l'une est *collective* et revêt les neuf dixièmes de la population, c'est la mode de la confection qui se développe dans les grands magasins. Là s'adressent toutes ou une grande partie des petites bourgeoises et des femmes de moyenne condition. C'est la mode répandue, uniforme dont se satisfont les honnêtes femmes et les autres et qui est loin d'être dépourvue d'un superficiel chic parisien. L'autre mode *est plus gratinée*. Elle est à l'élégance générale ce que sont les orchidées à la flore courante, c'est-à-dire une culture particulière et privilégiée, une éclosion rare, peu divulguée et dont quelques riches initiées peuvent seules profiter et se pourvoir. C'est de cette fashion réservée qu'il est surtout curieux de s'occuper. Elle seule fournit à notre critique des toilettes signées et intéressantes comme des œuvres d'artistes très individuels : les femmes intuitives ne s'y trompent jamais. Elles mettent presque toujours un nom sur un ensemble de chiffons merveilleusement dressé. Elles disent : « Tiens ! *ça vient de chez un tel* », comme nous reconnaissons une toile de Sargent, une pointe sèche de Helleu ou un pastel de La Gandara.

Octave Uzanne, *Sottisier des mœurs*, 1911.

« Comment s'appelle ce que vous portez là en tricot rouge ? C'est très joli. » Elle me répondit : « C'est mon golf. » Car, par une déchéance habituelle à toutes les modes, les vêtements et les mots qui, il y a quelques années, semblaient appartenir au monde relativement élégant des amies d'Albertine, étaient maintenant le lot des ouvrières.

Marcel Proust, *La prisonnière*, 1923.

Je n'ajousteray point icy que l'ambition est une des principales causes de la Mode, puisqu'il est certain que si l'on ne vouloit estre vu par dessus le commun du monde, on ne chercheroit pas des façons extraordinaires.

[...]

L'agréement est une des premieres suites de la Mode, & qui est d'autant plus considerable qu'elle semble ravissante. Nous remarquons qu'il n'y a proprement que ce qui est nouveau qui plaise à nos yeux ; [...] On se rit au commencement d'une nouveauté particuliere, qu'on adore lors qu'elle est publique. Et la Mode est un principe si absolu de l'approbation generale, que tout rebutte hors de sa justesse. Ce qui nous ravissoit, il y a quelques années nous choque maintenant, pour ce que l'usage en est passé. L'or et l'argent nous offencent sur un habit, & la soye nous y paraist admirable. Nous avions laissé la Sarge pour prendre le Tabis, maintenant nous laissons le Tabis pour la Sarge. [...] Comme nous changeons à toute heure d'imagination, nous changeons pareillement de façons de faire. De telle sorte que le plus certain prognostique qu'on puisse avoir pour reconnoistre si une mode passera bien-tôt, c'est de regarder si elle a passé dans l'approbation de toutes sortes de personnes. Elle sera bien-tôt rejettée puisqu'elle est si bien receüe. Ce fleuve tarira sans doute, pource qu'il roûle des eaux en trop grande abondance. Cet astre s'éclipsera par l'effort de sa lumière. Les mesmes qui avaient esté les introducteurs des Modes, se plaisent à les renverser, pour se donner de la vogue en se donnant de la peine aussi bien qu'à nous. En second lieu, comme la fortune se joüe de la vie des hommes, elle nous montre son pouvoir en faisant paraistre sa roüe jusques sur nos habits, & nous faisant passer par mille changements, jusques à ce que la Nature nous mette en un état d'immutabilité parfaite. On peut dire encor que la mode apporte cela dans le monde comme une de ses proprietez, qu'elle y rend précieuses les choses les plus viles du monde, & rend utiles celles qui estoient precieuses.

Monsieur de Grenaille, *La mode*, 1642.

LES LÉGISLATEURS

Qui sont les législateurs ? Ceux qui font la loi de la mode, ou pour employer l'expression la plus fréquente, ceux qui donnent le ton. Et d'abord des femmes en vue, des élégantes, « celles que leur fortune ou des circonstances heureuses ont mises en évidence ». Leur nom est immortalisé lorsqu'il devient celui d'un style, d'un vêtement, d'un colifichet qu'elles ont lancé ou qui leur reste associé : « A celle d'entre vous, Mesdames, qui, la première, portera cette Toilette, l'honneur de l'appeler » lance Mallarmé. C'est le cas de la mode « à la Pompadour » qui envahit la France pendant un temps, comme le rapporte Goudar : « Lorsqu'une dame, en France, est en faveur et qu'elle a gagné l'affection de son prince, toutes les choses de la vie civile prennent son nom. [...] Il n'y a point de chiffon aujourd'hui sur la toilette d'une femme, qui ne soit à la Pompadour ». Les Goncourt confirment les proportions extravagantes prises par ce phénomène éponyme qui va jusqu'à susciter une « brochure publiée à la Haye sous ce titre : *La Vie à la Pompadour ou la quintessence de la mode, revue par un véritable Hollandais !* »

Jusqu'à la révolution française, ce sont d'abord les princes qui édictent les nouvelles modes : « Nos Roys peuvent tout en telles reformations externes : leur inclination y sert de loy » écrit Montaigne, confirmé par Montesquieu. Ces modes princières sont pourtant rarement le fruit d'une volonté ou d'un désir. Le plus souvent, c'est bien malgré eux, voire par obligation – pour cause d'« accidents princiers » comme les appelle Miomandre – que les grands innovent. Il n'importe, les courtisans les imitent et imposent bientôt la nouvelle manière : « Ainsi François Ier, ayant reçu une blessure à la tête en faisant la petite guerre au château de Romorantin, fut obligé de se faire couper les cheveux. Il devint donc de mode de les porter très courts » ; l'impuissance des princes éclate dans l'affaire des fontanges, ces hauts édifices de cheveux et d'accessoires que les femmes élevaient sur leur tête. Le roi Louis XIV lui-même, monarque pourtant absolu, ne put les faire disparaître et dut les souffrir dix ans jusqu'à leur défaite inattendue relatée par la Marquise de Sévigné et commenté par Saint-Simon.

Au XVIIIe siècle, l'origine des précurseurs se démocratise, et on voit fleurir les marchandes de mode dont Mercier décrit le quotidien. Certains, comme la princesse Palatine, regrettent cette démocratisation qui bouleverse les bienséances hiérarchiques puisque Mercier raconte que les marchandes de modes ont accès à des appartements où la noblesse elle-même n'entre pas. Les marchandes de mode dictent leurs arrêts aux plus grands, et les Goncourt rapportent que la plus célèbre d'entre elles, « la Bertin », surnommée « le ministre des modes », fut publiquement saluée par Marie-Antoinette au cours d'un défilé.

Au XIXe siècle, l'honneur de lancer les modes passe des femmes aux hommes, et des professionnels aux amateurs : ce sont les dandys et les snobs qui donnent le ton et font la loi. Souvent par inadvertance, car à la différence des marchandes de modes ou des couturiers qui lancent les modes dans l'espoir qu'elles soient suivies par un groupe social, les dandys semblent uniquement préoccupés par leur apparence individuelle et font figure d'anarchistes et de francs-tireurs.

Au XXᵉ siècle, l'initiative de la mode passe à nouveau aux mains des professionnels mais reste globalement aux hommes puisque comme le souligne Colette, « peu de femmes font métier d'habiller les femmes ». C'est le règne du couturier, d'ailleurs moins roi que prophète, ou pythie pour reprendre la métaphore que file Zola dans son portrait du « grand Worms », de l'« illustre Worms » sous lequel on devine Worth : « le maître, comme pris et secoué par l'inspiration, peignait à grands traits saccadés le chef-d'œuvre qu'il venait de concevoir [...]. Il se recueillait encore, paraissait descendre tout au fond de son génie, et, avec une grimace triomphante de pythonisse sur son trépied, il achevait ». Au fil des décennies les doutes fissurent le personnage du génie inspiré. On doute de son pouvoir créateur : « Ils empruntent, ils copient, ils combinent. Ils n'inventent pas. » On doute de sa virilité : « Le couturier ne serait-il pas un homme ». On doute du bien-fondé de ses caprices et de ses « façons de tyranneau ». On doute de son entourage : « ces deux médiocres aèdes : le courtier de publicité et la chroniqueuse appointée » écrit Colette. Chanel n'est pas très tendre non plus pour les chroniqueuses à qui elle destinait, entre autres, son invention d'« un petit programme pour expliquer la collection ». Elle est encore plus dure avec ses rivaux dont elle rapporte qu'ils « s'empressèrent à leur tour d'avoir cette idée originale ». Alors que son programme visait à épurer le vocabulaire de la mode des extravagants noms de robes, il a l'effet inverse et donne un regain d'énergie à « la poésie couturière ». Nous savons grâce aux Goncourt que le XVIIIᵉ siècle avait l'imagination fertile lorsqu'il s'agissait de baptiser rubans et falbalas ; Colette nous rappelle que le XXᵉ n'a rien à lui envier et rivalise de « néologismes hardis », emprunts de « sauvage mélopée et de fumisterie ».

LES FEMMES

Nous croyons qu'il ne serait pas tout à fait indifférent pour la plupart de nos Souscripteurs, d'apprendre ce qui a pu donner lieu à telle ou telle Mode que nous leur annonçons. Nous nous engageons bien volontiers à le publier, lorsque nous le pourrons sans indiscrétion. Mais très souvent une Mode n'a pris naissance que dans l'imagination d'une Femme de goût, & qui sait se mettre avec art. Cette Femme veut donner le ton, elle veut que l'on sache qu'elle l'a donné ; mais la circonspection répugne à ce que nous la nommions pour en être l'auteur. Alors il ne nous est plus permis que de décrire cette Mode.

Cabinet des modes, neuvième cahier, mars 1786.

A celle d'entre vous, Mesdames, qui, la première, portera cette Toilette, l'honneur de l'appeler : car un joli usage, datant de quelques jours, veut qu'une robe se nomme de la femme qui, par son port, charme et distinction, lui a, dans le monde, acquis la célébrité et le prestige !

Stéphane Mallarmé, *La dernière mode*, 6ème livraison, 15 novembre 1874.

Lorsqu'une dame, en France, est en faveur et qu'elle a gagné l'affection de son prince, toutes les choses de la vie civile prennent son nom.
A mon arrivée à Paris, mon cocher me demanda si je voulais un carrosse à la Pompadour. Un marchand de la rue Saint-Honoré, qui ambitionnait ma pratique, m'assura que si je voulais me servir de lui, il me donnerait un drap de couleur Pompadour superbe. Un cuisinier, qui

s'offrit en même temps pour être à mon service, me dit, pour me prouver son talent, qu'il pouvait faire d'excellents ragoûts à la Pompadour.
On voit des cheminées, des miroirs, des tables, des sofas, des chaises
qui s'appellent ainsi.

[...]

On vend ici des rubans à la Pompadour, des boîtes à la Pompadour, des
éventails, des étuis, des cure-dents à la Pompadour. Il n'y a point de
chiffon aujourd'hui sur la toilette d'une femme, qui ne soit à la
Pompadour.

On dit que cette nation est vaine mais comment concilier cela avec
cette profonde humilité qu'elle fait paraître ? Les grands et les petits
ont endossé la livrée de la favorite, et semblent tenir à grand honneur
d'être habillés comme ses laquais. Le plus grand contraste est que ceux
qui l'honorent le plus extérieurement, affectent de la mépriser davantage intérieurement. En vérité, mon cher Kié-tou-na, cette nation est
une véritable énigme. Tous les hommes sont inconséquents, mais les
Français sont les plus inconséquents de tous les hommes.

Ange Goudar, *L'espion chinois*, lettre XV, 1773.

La mode est aux usages ce que les préjugés sont aux vertus morales.
Elle dicte impérieusement des lois à ceux qui s'asservissent à son
empire, et ses arrêts sont irrévocables [...] mais, en se laissant guider
aveuglément par l'usage, et en adoptant sans choix et sans réflexions
les modes nouvelles, les femmes tirent-elles de ces bagatelles, auxquelles
elles attachent tant de prix, tout l'avantage qu'elles s'en projettent ? Je
ne le pense pas. Celles que leur fortune ou des circonstances heureuses
ont mises en évidence, donnent ordinairement le ton aux autres ; elles

adoptent les modes les premières, et souvent même elles les puisent à une source où les autres n'auraient pas osé les aller chercher.

Il est bon d'observer que les femmes qui ont dans ce genre le mérite de l'invention, ont ordinairement du goût, et qu'elles se donnent bien de garde d'adopter des nouveautés qui ne seraient pas propres à relever l'éclat de leurs charmes, embellir la nature, ou réparer en elles ce qu'elle a pu former de défectueux. Si c'est là le but que toutes les femmes se proposent, c'est aussi celui que très-peu atteignent. Le grand défaut en matière de toilette, celui contre lequel elles devraient être continuellement en garde, c'est celui de trop généraliser, et de croire qu'à cause qu'un ajustement sied bien à telle femmes, il doit aussi être avantageux aux autres.

Ponce, *Aperçu sur les modes françaises* (1800), in *Recueil curieux...*

LES PRINCES

Il en est des manières et de la façon de vivre comme des modes : les Français changent de mœurs selon l'âge de leur roi. Le monarque pourrait même parvenir à rendre la nation grave, s'il l'avait entrepris. Le prince imprime le caractère de son esprit à la Cour, la Cour à la Ville, la Ville aux provinces. L'âme du souverain est un moule qui donne la forme à toutes les autres.

Charles de Montesquieu, *Les lettres persanes*, lettre XCIX, 1721.

Un de nos historiens remarque pareillement que toutes les Dames de France se firent coupper les cheveux pour imiter une Reine chauve, & qu'il n'y avait pas moins d'ignominie d'avoir du poil en ce temps là qu'il y en a maintenant à n'en point avoir.

[...]

Or qui ne voit que c'est l'Amour du gain qui produit toutes les Mode, & qui décredite les plus belles choses pour en authoriser de viles ? Nous voyons des ouvrages de fil qui nous font mépriser la soye. Le Roy a fait quitter l'argent pour les cordons et les passements ; on l'a mis aux éperons. Tant il est vrai qu'on n'a pas détruit le luxe, on n'a fait que luy faire changer de lieu. Cependant quel déreglement de nos mœurs qu'on mette à présent sur la botte ce qu'on mettait sur la teste ?

Monsieur de Grenaille, *La mode*, 1642.

La façon dequoy nos loix essayent à regler les foles et vaines despen- ces des tables, et vestemens, semble estre contraire à sa fin. Le vray moyen, ce seroit d'engendrer aux hommes le mespris de l'or et de la soye, comme de choses vaines et inutiles : et nous leur augmentons l'honneur et le prix, qui est une bien inepte façon pour en dégouster les hommes. Car dire ainsi, Qu'il n'y aura que les Princes qui mangent du turbot, qui puissent porter du velours et de la tresse d'or, et l'inter- dire au peuple, qu'est-ce autre chose que mettre en credit ces choses là, et faire croistre l'envie à chacun d'en user ? Que les Roys quittent har- diment ces marques de grandeur, ils en ont assez d'autres ; tels excez sont plus excusables à tout autre qu'à un prince. Par l'exemple de plu- sieurs nations, nous pouvons apprendre assez de meilleures façons de nous distinguer exterieurement, et nos degrez (ce que j'estime à la verité,

estre bien requis en un estat) sans nourrir pour cet effect, cette cor-
ruption et incommodité si apparente : C'est merveille comme la coustume en ces choses indifferentes plante aisément et soudain le pied de
son authorité. A peine fusmes nous un an, pour le deuil du Roy Henry
second, à porter du drap à la cour, il est certain que desja à l'opinion
d'un chacun, les soyes estoient venuës à telle vilité, que si vous en
voyiez quelqu'un vestu, vous en faisiez incontinent quelque homme de
ville. Elles estoient demeurées en partage aux medecins et aux chirur-
giens : et quoy qu'un chacun fust à peu pres vestu de mesme, si y avoit-
il d'ailleurs assez de distinctions apparentes, des qualitez des hommes.
[...]
C'estoit une tres-utile maniere d'attirer par honneur et ambition, les
hommes à leur devoir et à l'obeissance. Nos Roys peuvent tout en telles
reformations externes : leur inclination y sert de loy. *Quicquid principes
faciunt, præcipere videntur.* Le reste de la France prend pour regle la regle
de la Cour.

Michel de Montaigne, *Essais*, I, xliii, 1595.

— Je vous avoue (dit le marquis) que ma condition m'oblige à faire
dépense en habits, parce que le goût du siècle le veut ainsi ; et pour ne
pas avoir la tache d'avarice ou de rusticité, je suis les modes et j'en
invente quelquefois.

Antoine Furetière, *Le roman bourgeois*, 1666.

Parlons maintenant de la plus grande affaire qui soit à la cour. Votre
imagination va tout droit à de nouvelles entreprises ; vous croyez que

le Roi, non content de Mons et de Nice, veut encore le siège de Namur. Point du tout. C'est une chose qui a donné plus de peine à Sa Majesté et qui lui a coûté plus de temps que ses dernières conquêtes ; c'est la défaite des *fontanges* à plate couture. Plus de coiffures élevées jusqu'aux nues, plus de *casques*, plus de *rayons*, plus de *bourgognes*, plus de *jardinières*. Les princesses ont paru de trois quartiers moins hautes qu'à l'ordinaire. On fait usage de ses cheveux, comme on faisait il y a dix ans ; ce changement a fait un bruit et un désordre à Versailles qu'on ne saurait vous représenter. Chacun raisonnait à fond sur cette matière, et c'était l'affaire de tout le monde. On nous assure que M. de Langlée a fait un traité sur ce changement pour envoyer dans les provinces. Dès que nous l'aurons, Monsieur, nous ne manquerons pas de vous l'envoyer, et cependant je baise très humblement les mains de Votre Excellence.

Madame de Sévigné, *Correspondance* (1691).

[La duchesse de Shrewsbury, épouse de l'ambassadeur d'Angleterre] trouva bientôt les coiffures des femmes ridicules, et elles l'étaient en effet. C'était un bâtiment de fil d'archal, de rubans, de cheveux, et de toutes sortes d'affiquets, de plus de deux pieds de haut, qui mettait le visage des femmes au milieu de leurs corps, et les vieilles étaient de même mais en gazes noires. Pour peu qu'elles remuassent, le bâtiment tremblait, et l'incommodité en était extrême. Le Roi, si maître jusque des plus petites choses, ne les pouvaient souffrir ; elles duraient depuis plus de dix ans sans qu'il eût pu les changer, quoi qu'il eût dit et fait pour en venir à bout. Ce que ce monarque n'avait pu, le goût et l'exemple d'une vieille folle étrangère l'exécuta avec la rapidité la plus surprenante. De l'extrémité du haut, les dames se jetèrent dans l'extrémité du plat, et ces coiffures plus simples, plus commodes, et qui siéent bien mieux, durent jusqu'à aujourd'hui.

Duc de Saint-Simon, *Mémoires* (1713).

Mais voilà qu'au plus beau moment de son triomphe, la couleur puce est tuée par la couleur cheveux de la Reine, une couleur qui naît d'une comparaison délicate trouvée par Monsieur à propos de satins présentés à Marie-Antoinette. Sur le mot de Monsieur, une mèche d'échantillon de ces jolis cheveux blonds est envoyée aux Gobelins à Lyon, aux grandes manufactures ; et la nuance, pareille à l'or pâle, que les métiers renvoient, habille pendant tout un an la France aux couleurs de la Reine. Ce n'est pas la seule invention de la mode à laquelle la grâce de Marie-Antoinette sert de marraine et donne la fortune.

Edmond et Jules de Goncourt, *La femme au dix-huitième siècle*, 1862.

Accidents princiers

Quelquefois – rarement – on croit avoir trouvé ; il arrive qu'un grand de ce monde a eu l'idée de modifier quelques traits de son ajustement, pour des raisons plus ou moins personnelles. Ainsi François Ier, ayant reçu une blessure à la tête en faisant la petite guerre au château de Romorantin, fut obligé de se faire couper les cheveux. Il devint donc de mode de les porter très courts. C'est pour cacher une cicatrice profonde qu'il avait au cou que Henri II imagina de porter une fraise. On sait le succès de cette excroissance de baptiste empesée...

[...]

A part ces occasions exceptionnelles, où nous la saisissons pour ainsi
dire sur le vif, l'origine d'une mode se dérobe toujours à nos recherches
[...] Qui a lancé le haut de forme ? le scepticisme ? le duel ? le préjugé
de la liberté politique ? la valse ? les colliers de perles ?
[...]
On ne sait rien. On ne le saura jamais.

François de Miomandre, *La mode*, 1927.

LES MARCHANDES DE MODE

Mais j'oubliois que le travail des modes est un art ; art chéri, triom-
phant, qui dans ce siecle a reçu des honneurs, des distinctions. Cet art
entre dans le palais des rois, y reçoit un accueil flatteur. La marchande
de modes passe au milieu des gardes, pénètre l'appartement où la haute
noblesse n'entre pas encore. Là on décide sur une robe, on prononce
sur une coëffure, on examine tout le jeu d'un pli heureux. Les graces
ajoutant aux dons de la nature, embellissent la majesté.
Mais qui mérite d'obtenir la gloire, ou de la main qui dessine ces ajustemens, ou de celle qui les exécute ? Problème difficile à résoudre.
Peut-on dire ici, inventes, tu vivras ? Qui sait de quelle tête féminine
part la féconde idée qui va changer tous les bonnets de l'Europe, et
soumettre encore des portions de l'Amérique et de l'Asie à nos collets
montés ? La rivalité entre deux marchandes de modes a éclaté dernié-
rement, comme entre deux grands poëtes. Mais l'on a reconnu que le
génie ne dépendoit pas des longues études faites chez Mademoiselle
Alexandre, ou chez M. Baulard. Une petite marchande de modes de
l'humble quai de Gesvres, bravant toutes les poétiques antécédentes,

rejetant les documens des vieilles boutiques, s'élance, prend un coup-d'œil supérieur, renverse tout l'édifice de la science de ses rivales. Elle fait révolution, son génie brillant domine, et la voilà admise auprès du trône. Aussi quand le cortege royal s'avance dans la capitale, que le pavé étincele sous le fer des coursiers que monte une noble élite de guerriers, que tout le monde est aux fenêtres, que tous les regards plongent au fond du char étincelant, la reine, en passant, leve les yeux et honore d'un sourire sa marchande de modes. Sa rivale en seche de jalousie, murmure de ses succès, cherche à les rabaisser, ainsi que fait un journaliste dans ses feuilles contre un auteur applaudi. Mais la reine est l'arbitre des modes ; son goût fait loi, et sa loi est toujours gracieuse. Les marchandes de modes ont couvert de leurs industrieux chiffons la France entiere et les nations voisines. Tout ce qui concerne la parure a été adopté avec une espece de fureur par toutes les femmes de l'Europe. C'est une contrefaçon universelle ; mais ces robes, ces garni-tures, ces rubans, ces gazes, ces bonnets, ces plumes, ces blondes, ces chapeaux font aujourd'hui que quinze cents mille demoiselles nubiles ne se marieront pas. Tout mari a peur de la marchande de modes, et ne l'envisage qu'avec effroi. Le célibataire, dès qu'il voit ces coëffures, ces ajustemens, ces panaches dont les femmes sont idolâtres, réfléchit, cal-cule et reste garçon. Mais les demoiselles vous diront qu'elles aiment autant des poufs et des bonnets historiés que des maris. Soit.

Louis-Sébastien Mercier, *Tableau de Paris*, VI, dxxxvi, 1781-89.

Je ne suis les modes que de loin et il en est que je n'adopte pas du tout, comme les paniers, que je ne porte pas, et les *robes ballantes*, que je ne peux souffrir. Je trouve que c'est impertinent d'en mettre ; aussi nulle femme qui en porte n'est-elle admise en ma présence : c'est comme si on allait se mettre au lit. Il n'y a aucune règle pour les modes : ce sont les faiseuses de robes de chambre et les coiffeuses qui les font.

La princesse Palatine, *Lettres* (1721).

Dans ce triomphe universel, tyrannique, absolu du goût français, quelle fortune des marchands, des marchandes, et des grandes faiseuses ! Quel gouvernement que celui d'une Bertin appelée par le temps « le ministre des modes » ! Et quelles vanités, quelles insolences d'artistes ! les anecdotes et les souvenirs du siècle nous ont gardé sa réponse à une dame, mécontente de ce qu'on lui montrait : « présentez donc à madame des échantillons de mon dernier travail avec Sa Majesté ; » et son mot superbe à M. de Toulonfeon qui se plaignait de la cherté de ses prix : « Ne paye-t-on à Vernet que sa toile et ses couleurs ? » C'est le temps des grandes fortunes de la mode, le temps où l'on parle de la société de la marchande de rouge de la reine, du cercle de Mme Martin au Temple. Nous entrons dans le règne des artistes en tout genre, des modistes de génie, aussi bien que des cordonniers sublimes, uniques pour monter un pied et le faire valoir.

Edmond et Jules de Goncourt, *La femme au dix-huitième siècle*, 1862.

LES DANDIES ET LES SNOBS

Iphis voit à l'église un soulier d'une nouvelle mode ; il regarde le sien et en rougit ; il ne se croit plus habillé. Il était venu à la messe pour s'y montrer, et il se cache ; le voilà retenu par le pied dans sa chambre tout le reste du jour.

Charles de la Bruyère, *Les caractères*, 1688.

La mode est ce que l'on porte soi-même. Le démodé, c'est ce que les autres portent.

Oscar Wilde, *Un mari idéal*, 1895.

Il n'est pas rare que la mode adopte la singularité gratuite d'une personne qui s'oppose aux modes et ne se doutait pas que son acte anarchiste ou sa tenue insolite seraient à l'origine d'une étiquette. C'est le mécanisme des écoles dont les chefs se sentent submergés par une vague et qui, pour peu qu'on les observe avec recul, ne participent que peu à ce qu'ils motivent et, d'émeute en émeute, défendent tous la même cause : celle de la pointe, celle des autres chefs qui se mirent « excentriquement » à l'extrémité d'eux-mêmes.

Jean Cocteau, « La mode meurt jeune », 1951.

Il paraît qu'on ne peut se figurer comme il donnait le ton, comme il faisait la loi à toute la société dans sa jeunesse. Pour lui, en toute circonstance il faisait ce qui lui paraissait le plus agréable, le plus commode, mais aussitôt c'était imité par les snobs. [...] Un été très pluvieux où il avait un peu de rhumatisme, il s'était commandé un pardessus d'une vigogne souple mais chaude qui ne sert que pour faire des couvertures de voyage et dont il avait respecté les raies bleues et orange. Le grands tailleurs se virent commander aussitôt par leurs client des pardessus bleus et frangés, à long poil.

Marcel Proust, *Du côté de chez Swann*, 1913.

Le snobisme est à la mode ce que les condiments sont à la cuisine. Ils l'épicent, ils la relèvent, ils lui donnent je ne sais quoi d'excitant qui irrite ou ravit, mais jamais ne laisse indifférent.
Les snobs sont les francs-tireurs et les avant-gardes de la mode. On se moque d'abord d'eux, mais c'est toujours eux, enfin, qui ont raison. Ils se savent ridicules, mais ils sont si contents de l'être !

François de Miomandre, *La mode*, 1927.

LE COUTURIER

Puis, lorsque le grand Worms recevait enfin Renée, Maxime pénétrait avec elle dans le cabinet. Il s'était permis de parler deux ou trois fois, pendant que le maître s'absorbait dans le spectacle de sa cliente, comme les pontifes du beau veulent que Léonard de Vinci l'ait fait devant la Joconde. Le maître avait daigné sourire de la justesse de ses observations. Il faisait mettre Renée debout devant une glace, qui montait du parquet au plafond, se recueillait, avec un froncement de sourcils, pendant que la jeune femme, émue, retenait son haleine, pour ne pas bouger. Et, au bout de quelques minutes, le maître, comme pris et secoué par l'inspiration, peignait à grands traits saccadés le chef-d'œuvre qu'il venait de concevoir, s'écriait en phrases sèches :

– Robe Montespan en faille cendrée..., la traîne dessinant, devant, une basque arrondie..., gros nœuds de satin gris la relevant sur les hanches..., enfin tablier bouillonné de tulle gris perle, les bouillonnés séparés par des bandes de satin gris.

Il se recueillait encore, paraissait descendre tout au fond de son génie, et, avec une grimace triomphante de pythonisse sur son trépied, il achevait :

– Nous poserons dans les cheveux, sur cette tête rieuse, le papillon rêveur de Psyché aux ailes d'azur changeant.

Mais, d'autres fois, l'inspiration était rétive. L'illustre Worms l'appelait vainement, concentrait ses facultés en pure perte. Il torturait ses sourcils, devenait livide, prenait entre ses mains sa pauvre tête, qu'il branlait avec désespoir, et vaincu, se jetant dans un fauteuil :

– Non, murmurait-il d'une voix dolente, non, pas aujourd'hui..., ce n'est pas possible... Ces dames sont indiscrètes. La source est tarie.

Et il mettait Renée à la porte en répétant :

Pas possible, pas possible, chère dame, vous repasserez un autre jour... Je ne vous sens pas ce matin.

Emile Zola, La curée, 1871.

La vérité sur les couturiers

On parle de la « délirante » imagination des couturiers. Quelle erreur ! Personne n'est plus timide. Ils empruntent, ils copient, ils combinent. Ils n'inventent pas. Ils ne le pourraient point d'ailleurs. La mode les pousse l'épée dans les reins, et ils avancent de mauvaise grâce.

Seulement, comme ils ont l'air très agités, on croit qu'ils sont en proie à la fièvre créatrice.

[...]

Comment expliquer que les femmes qui manifestent un tel mépris de l'opinion masculine au sujet de leur toilette faite, s'adressent justement à des hommes quand il s'agit d'une toilette à faire ?

Le couturier ne serait-il pas un homme ?

François de Miomandre, *La mode*, 1927.

Trop court, messieurs, trop court. J'écris « messieurs » parce que peu de femmes font métier d'habiller les femmes. Elles sont minorité, minorité d'une qualité rare, et qui gagne des sièges rapidement, mais minorité. [...] Couturier donc, grand couturier, culotté ou juponné, je ne vous l'envoie pas dire : cette année, encore, c'est trop court.

Va pour le costume-trotteur, ainsi nommé par antiphrase, pour ce que sa jupe bride la jambe, rapproche les genoux, use les bas et entrave la marche. Ecourté, il donne à la femme immobile un joli petit air alerte, qu'elle perd si elle se met en marche – mais quel besoin de se mettre en marche ? [...] Mais vous avez, cette année, raccourci la robe de l'après-midi et du soir [...] votre robe du soir, votre tenue de gala ressemble à un projet avorté, à un roman sans dénouement, à une autruche après la mue, à une idylle sans poésie. Trop de pieds, trop de pieds, et pas assez d'étoffe !

On m'assure, grand couturier, que vous vous gourmez facilement, et que votre premier mot sera pour me demander de quoi je me mêle. C'est qu'on ne vous a guère accoutumé à la critique. Votre art, qui brasse autant de millions que le cinéma, se contente, modestie singulière, des « communiqués » et fait des rentes à ces deux médiocres aèdes : le courtier de publicité et la chroniqueuse appointée. Mais personne ne traite votre œuvre, qui souvent le mérite, comme un beau tableau, comme un émail, comme un roman nouveau, comme une pièce de théâtre, comme une céramique...

A qui la faute ? Vos façons de tyranneau n'ont admis jusqu'à présent que la courtisanerie à gages. Vous valez moins de ménagements et plus de considération, vous valez sûrement que je me donne le plaisir de venir chez vous, de regarder ce que vous faites, de dire ce que j'en pense, et de m'en aller – dans ma gentille petite robe qui n'est pas signée de vous.

Colette, « Trop court », *Le voyage égoïste*, 1922.

Autre axiome : il y a des femmes intelligentes, mais il n'y a pas de femmes intelligentes chez un couturier. (Ni de femmes morales ; elles vendraient leur âme pour une robe.)

[...]

Les salons voient les femmes comme elles devraient être ; les salons de couture voient les femmes comment elles sont.

[...]

Les femmes aiment d'amour la mode ; jamais elles ne lui sacrifient un amant.

Paul Morand, *L'allure de Chanel*, 1976.

Le premier devoir d'une femme est envers sa couturière. Personne n'a encore découvert ce qu'était le second.

Oscar Wilde, *Un mari idéal*, 1895.

Craignant que les journalistes ne s'embêtent pendant le défilé des mannequins, que certains reporters étrangers ne comprennent pas bien mes
intentions, je décidai un jour de faire imprimer à leur usage un petit
programme pour expliquer la collection, donner les numéros des robes,
indiquer le prix, en face de chaque numéro, etc. Dans quelques phrases
préliminaires se trouvait la clé du programme. Bref, une sorte de com-
mentaire dirigé qui mâchait la besogne aux journalistes, leur glissait
gentiment leur article tout fait, prêt à être télégraphié le soir même. Ce
programme eut du succès et les commissionnaires, de même que les
rédacteurs en chef, m'en furent reconnaissants. Les couturiers s'empressèrent à leur tour d'avoir cette idée originale et, par raffinement, se
mirent à rédiger eux-mêmes ; ils étaient non seulement des artistes,
mais des écrivains, parfois même des penseurs. La presse reprenait en
mineur, commentait, glosait, talmudiait.

Ainsi naquit ce lyrisme extravagant, ainsi s'organisa ce délire que j'ai
nommé « la poésie couturière », publicité aussi coûteuse qu'indigente et
inutile.

Ce lyrisme avait déjà montré le bout de l'oreille lors du baptême des
robes. Les noms, dont j'entendais, dans les autres maisons, parer les
collections, me faisaient tellement rire que, par réaction, je ne donnai
aux miennes que des numéros. Mon confrère P. n'intitulait-il pas une de
ses créations « le rêve d'un jeune abbé » ? Le ridicule tue bien des choses, mais il n'a jamais tué le ridicule.

La poésie couturière s'est annexé le génie : on appela Claudel, Valéry,
Charlie du Bos, Kafka, Kierkegaard, Dostoïevsky, Goethe, Dante, Eschyle
à la rescousse. Ce ne furent que des *Connaissance de la beauté*, des
Présences du couturier, des *Théories de la ligne*, que *Prétextes, Préséances et
Approximations* ! [...]

La poésie couturière donna des cocktails, des bals, des dîners. Le V.P. coula à flots, les fleurs de serre affluèrent, on marchait sur les orchidées. – Si on ne vend pas, après ça ! soupiraient L., ou P., ou W., ou M...

Paul Morand, *L'allure de Chanel*, 1976.

Nous avons vu, de nos jours, les diverses modes se succéder avec une rapidité inconcevable ; les dénominations de toute espèce ont été épuisées ; quatre gros volumes contiendraient à peine la nomenclature des nouveautés que le génie inventif des femmes a imaginé depuis dix ans.

Ponce, *Aperçu sur les modes françaises* (1800), in *Recueil curieux...*

Le roi des tisseurs ne se borne pas à inventer des tissus, il invente aussi leurs noms. Néologismes hardis, sons aussi riches que l'arabesque, aussi doux que la laine thibétaine, vous caressez l'oreille d'une harmonie qui participe de la sauvage mélopée et de la fumisterie. Ce n'est pas pour vous que je parle, kasha, kasha au nom de chat

> *Sur ton sein ravissant que ta pudeur cacha,*
> *Belle, croise et recroise une écharpe en kasha !*

Mais, quand je lis le los de la crépellaine, du bigarella, du poplaclan, du djirsirisa et de la gousellaine – j'en oublie ! –, une griserie phonétique me saisit, et je me mets à penser en pur dialecte poplacote. Souffrez qu'en vous quittant, lectrice, j'empoigne mon filavella, je chausse mes rubespadrillavellaines et je coiffe mon djissaturbanécla ; la marée baisse, voici l'heure d'aller pêcher, dans les anfractuosités du rockaskaïa, le congrépellina et la dorade zibelinée.

Colette, « Nouveautés », *Le voyage égoïste*, 1922.

LA SUPRÉMATIE FRANCAISE

Un très grand nombre de textes d'époques variées et d'auteurs divers concourent à établir la très ancienne et très constante prééminence de la France et de sa capitale en matière de mode : « foyer même de toutes les élégances », c'est là qu'on trouve « tout ce qui se fait de mieux au monde », et Balzac fait de la capitale française celle de la grande emperière : « C'est à Paris que la mode semble avoir placé le siège de son empire ». Dès le XVIIᵉ siècle, la France est présentée comme le pays qui impose sa mode aux autres. Si ses voisins européens l'envient, c'est que les français et les françaises sont élégants : « Le goût de la France plane et vole sur l'étranger, sur toute l'Europe » résument les Goncourt. Le rôle de modèle joué par les françaises au plan européen (puis également nord-américain) est tenu au plan national par les parisiennes, les seules femmes qui osent braver l'autorité de la mode, si l'on en croit Rousseau : « Elles sont de toutes les femmes les moins asservies à leurs propres modes. La mode domine les provinciales ; mais les Parisiennes dominent la mode, et la savent plier chacune à son avantage ».

Plusieurs auteurs, dont Grenaille, Mercier et Montesquieu, attribuent le talent de la France en matière de mode à l'inconstance de son peuple. Ils évoquent la nation « qu'on appelle par excellence la changeante » ou le « caractère de frivolité natale qui nous honore et nous distingue aux yeux de l'Europe ». D'une faiblesse de caractère, la France et sa capitale ont fait une force économique comme l'explique le *Cabinet des modes*, ancêtre des magazines de mode : « cette branche de Commerce, peut-être la plus importante de la Capitale, qu'aucune Ville du monde ne peut lui enlever, parce qu'elle tient au génie, au caractère, au goût, surtout au désir de plaire & de se distinguer qui anime tous ses Habitants ».

Ce formidable pouvoir économique qu'exerce la France sur l'Europe lui confère un grand prestige et un ascendant politique sur ses voisins : « Toute l'Europe est asservie et soumise à nos modes, tributaire de notre art, de notre commerce, de notre industrie » affirment les Goncourt, confirmés par Ponce : « les modes, dont le bon goût a plus d'influence qu'on ne le pense sur la considération politique qu'obtient une nation, et par conséquent sur le commerce et la prospérité d'un grand peuple ». Au XVIIIe siècle, l'instrument des conquêtes françaises est une innocente poupée, « une poupée, laquelle doit porter les modes du jour au fond du nord et jusques dans l'Amérique septentrionale », comme la décrit Mercier. Et dans la première livraison du *Cabinet des modes*, les auteurs se flattent que leur journal pourra, grâce à ses gravures colorées, remplacer l'encombrante poupée voyageuse.

On pourrait croire qu'il s'agit là de fanfaronnades patriotiques et de cocoricos de propagande de la part d'auteurs français, mais des témoignages étrangers, et notamment celui de John Evelyn, datant de 1661, confirment la réalité et l'ancienneté des faits. « Croyez-le, *la mode de France*, est un des meilleurs revenus qu'ils obtiennent, et nourrit autant de ventres qu'elle couvre de dos ». Après la Révolution, un autre Britannique, Arthur Young, propose un portrait des français à la mode, tout aussi instructif, qui complète celui de Rousseau et nuance les préjugés nationaux.

PARIS

C'est à Paris que la mode semble avoir placé le siège de son empire. Les théâtres, les personnages, la politique, la littérature, les événements, tout y est jugé sous son influence. Rendons toutefois justice à l'équité presque constante de ses arrêts : le public parisien se laisse rarement décevoir, et les réputations auxquelles il donne son suffrage sont toujours basées sur un grand mérite ou un véritable talent. Au reste, si la mode commet parfois quelques méprises, elle en fait promptement justice : c'est une vieille coquette qui se peut tromper, mais à qui son inconstance fait bientôt réparer son erreur.

Honoré de Balzac, « Méditations sur la mode », *Code de la Toilette*, 1828.

Cherchons le Bijou, isolé, en lui-même. Où ? partout : c'est-à-dire *un peu* sur la surface du globe, et *beaucoup* à Paris : car Paris fournit le monde de bijoux.
[...]
Rien que de simple : il est prouvé maintenant qu'une promenade de plusieurs après-midi sur les boulevards, rue de la Paix, au Palais-Royal, et dans quelques ateliers célèbres, suffit à nous apprendre « *tout ce qui se fait de mieux au monde* », pour employer dans son sens propre une formule banale.

Stéphane Mallarmé, *La dernière mode*, 1ère livraison, 6 septembre 1874.

C'est un ballet, c'est le jet d'eau du parc, l'orchestre le plus haut de l'élégance intuitive que Paris dirige de ses antennes. Il faut consacrer une journée au moins à visiter un de nos grands salons, de ceux qui ont lancé à travers le monde, comme un lasso, ce mot subtil : la ligne. A chaque saison, plus habile et plus perfectionnée, d'année en année, de semaine en semaine, Eve redescend de l'Eden.

Léon Paul Fargue, *De la mode*, 1945.

Tu l'as voulu, Julie ; il faut donc te les dépeindre, ces aimables Parisiennes.

[...]

Commençons par l'extérieur. C'est à quoi s'en tiennent la plupart des observateurs. Si je les imitais en cela, les femmes de ce pays auraient trop à s'en plaindre : elles ont un extérieur de caractère aussi bien que de visage ; et comme l'un ne leur est guère plus favorable que l'autre, on leur fait tort en ne les jugeant que par là. Elles sont tout au plus passables de figure, et généralement plutôt mal que bien : je laisse à part les exceptions. Menues plutôt que bien faites, elles n'ont point la taille fine ; aussi s'attachent-elles volontiers aux modes qui la déguisent : en quoi je trouve assez simples les femmes des autres pays, de vouloir bien imiter des modes faites pour cacher les défauts qu'elles n'ont pas.

[...]

Elles se mettent si bien, ou du moins elles en ont tellement la réputation, qu'elles servent en cela, comme en tout, de modèle au reste de l'Europe. En effet, on ne peut employer avec plus de goût un habillement plus bizarre. Elles sont de toutes les femmes les moins asservies à leurs propres modes. La mode domine les provinciales ; mais les Parisiennes dominent la mode, et la savent plier chacune à son avantage. Les premières sont comme des copistes ignorants et serviles qui copient jusqu'aux fautes d'orthographe ; les autres sont des auteurs qui copient en maîtres et savent rétablir les mauvaises leçons.

Leur parure est plus recherchée que magnifique ; il y règne plus d'élégance que de richesse. La rapidité des modes, qui vieillit tout d'une année à l'autre, la propreté qui leur fait aimer à changer souvent d'ajustement, les préservent d'une somptuosité ridicule : elles n'en dépensent pas moins, mais leur dépense est mieux entendue ; au lieu d'habits râpés et superbes comme en Italie, on voit ici des habits plus simples et toujours frais. Les deux sexes ont à cet égard la même modération, la même délicatesse et ce goût me fait grand plaisir : j'aime fort à ne voir ni galons ni taches. Il n'y a point de peuple, excepté le nôtre, où les femmes surtout portent moins la dorure. On voit les mêmes étoffes dans tous les états, et l'on aurait peine à distinguer une duchesse d'une bourgeoise, si la première n'avait l'art de trouver des distinctions que l'autre n'oserait imiter. Or ceci semble avoir sa difficulté ; car quelque mode qu'on prenne à la cour, cette mode est suivie à l'instant à la ville ; et il n'en est pas des bourgeoises de Paris comme des provinciales et des étrangères, qui ne sont jamais qu'à la mode qui n'est plus. Il n'en est pas encore comme dans les autres pays, où les plus grands étant aussi les plus riches, leurs femmes se distinguent par un luxe que les autres ne peuvent égaler. Si les femmes de la cour prenaient ici cette voie, elles seraient bientôt effacées par celles des financiers.

Qu'ont-elles donc fait ? Elles ont choisi des moyens plus sûrs, plus adroits, et qui marquent plus de réflexion. Elles savent que des idées de pudeur et de modestie sont profondément gravées dans l'esprit du peuple. C'est là ce qui leur a suggéré des modes inimitables. Elles ont vu que le peuple avait en horreur le rouge, qu'il s'obstine à nommer grossièrement du fard, elles se sont appliqué quatre doigts, non de fard, mais de rouge ; car, le mot changé, la chose n'est plus la même. Elles ont vu qu'une gorge découverte est en scandale au public ; elles ont largement échancré leur corps. Elles ont vu... oh ! bien des choses, que ma Julie, toute demoiselle qu'elle est, ne verra sûrement jamais. Elles ont mis dans leurs manières le même esprit qui dirige leur ajustement. Cette pudeur charmante qui distingue, honore et embellit ton sexe, leur a paru vile et roturière ; elles ont animé leur geste et leur propos d'une noble impudence ; et il n'y a point d'honnête homme à qui leur regard assuré ne fasse baisser les yeux. C'est ainsi que cessant d'être femmes, de peur d'être confondues avec les autres femmes, elles préfèrent leur rang à leur sexe, et imitent les filles de joie, afin de n'être pas imitées.

J'ignore jusqu'où va cette imitation de leur part, mais je sais qu'elles n'ont pu tout à fait éviter celle qu'elles voulaient prévenir. Quant au rouge et aux corps échancrés, ils ont fait tout le progrès qu'ils pouvaient faire. Les femmes de la ville ont mieux aimé renoncer à leurs couleurs naturelles et aux charmes que pouvait leur prêter l'amoroso pensier des amants, que de rester mises comme des bourgeoises ; et si cet exemple n'a point gagné les moindres états, c'est qu'une femme à pied dans un pareil équipage n'est pas trop en sûreté contre les insultes de la populace. Ces insultes sont le cri de la pudeur révoltée ; et, dans cette occasion, comme en beaucoup d'autres, la brutalité du peuple, plus honnête que la bienséance des gens polis, retient peut-être ici cent mille femmes dans les bornes de la modestie : c'est précisément ce qu'ont prétendu les adroites inventrices de ces modes.

Jean-Jacques Rousseau, *Julie ou la nouvelle Héloïse*, 1761.

LA PROVINCE

... la province, où les nouvelles et les modes ne parviennent qu'après une complète révolution de la terre autour du soleil...

Anatole France, *L'Ile des pingouins*, 1908.

Dans la toilette d'une femme de province, l'utile a toujours le pas sur l'agréable. Chacun connaît la fortune du voisin, l'extérieur ne signifie plus rien. Puis, comme le disent les sages, on s'est habitué les uns aux autres, et la toilette devient inutile. C'est à cette maxime que sont dues les monstruosités vestimentales de la province : ces châles exhumés de l'Empire, ces robes ou exagérées, ou mal portées, ou trop larges, ou trop étroites ! La mode s'y assied au lieu de passer. On tient à une chose *qui a coûté trop cher*, on ménage un chapeau. On garde pour la saison suivante une futilité qui ne doit durer qu'un jour.

Honoré de Balzac, « La femme de province » (1841),
Les parisiens comme ils sont.

LA FRANCE

En attendant l'avenir, nous vivons pressés par un conflit de modes, de mœurs, d'idées ; et malgré les différences qui les distinguent, ces traits ne nous donnent aucune physionomie. La France porte un habit d'arlequin, où chacun ne regardant que sa couleur, la croit dominante.

Honoré de Balzac, « Complaintes satiriques sur les mœurs du temps présent », *La Mode*, 1830.

Toutefois ne blamons pas absolument l'esprit humain de l'invention des modes, de peur de blamer seulement notre nation, qu'on appelle par excellence la changeante, & faisons voir que les nouveautés viennent de la gentillesse des François plûtost que de la bizarrerie.

Monsieur de Grenaille, La mode, 1642.

La livrée bigarrée du peuple, et la diversité des physionomies, et les modèles les plus rares, toujours subsistans, invitent vos pinceaux : êtes-vous frivoliste ? Admirez la main légère de cette marchande de modes, qui décore sérieusement une poupée, laquelle doit porter les modes du jour au fond du nord et jusques dans l'Amérique septentrionale.
[...]
Le tout est de sauver nos jours d'une pesante monotonie, et de varier nos goûts, nos modes, nos enthousiasmes, nos engouemens, afin de ne point perdre ce caractere de frivolité natale, qui nous honore et nous distingue aux yeux de l'Europe.

Louis-Sébastien Mercier, Tableau de Paris, I, i et VII, dlxxix,
1781-1789.

Le goût de la France plane et vole sur l'étranger, sur toute l'Europe. Toute l'Europe est à la françoise. Toute l'Europe est asservie et soumise à nos modes, tributaire de notre art, de notre commerce, de notre industrie ; [...] Toute l'Europe a les yeux tournés vers la fameuse poupée de la derniere mode, du dernier ajustement de la derniere invention, image changeante de la coquetterie du jour figurée de grandeur naturelle, sans cesse habillée, déshabillée, rhabillée au gré d'un caprice nouveau, né dans un souper de petites maîtresses, dans la loge d'une danseuse d'Opéra ou d'une actrice du Rempart, dans l'atelier d'une bonne faiseuse. Répétée, multipliée, cette poupée modèle passait les mers et les monts ; elle était expédiée en Angleterre, en Allemagne, en Italie en Espagne : de la rue Saint-Honoré, elle s'élançait sur le monde et pénétrait jusqu'au sérail. Et lorsque les journaux de mode se fondent, ces journaux spéculent bien plus sur cette clientèle de l'Europe que sur le public français. Leur ambition, leur espérance est de remplacer la poupée de la rue Saint-Honoré, et leur préface annonce « que, grâce à eux, les étrangers ne seront plus obligés à faire des poupées, des mannequins toujours imparfaits et très chers qui ne donnent tout au plus qu'une nuance de nos modes. »

Edmond et Jules de Goncourt, *La femme au dix-huitième siècle*, 1862.

Les Editeurs du Cabinet des Modes voient avec satisfaction que leur entreprise est une des plus agréables que l'on ait faites, surtout pour l'Etranger ; on pourrait même dire des plus utiles, car l'Italie, l'Espagne, l'Angleterre, l'Allemagne, les Habitants du Nord, ne seront plus obligés d'entretenir, à grands frais, des Commissionnaires, ou de faire fabriquer des Poupées, des Mannequins, toujours imparfaits, & cependant fort chers, qui ne donnent tout au plus qu'une nuance de nos Modes nouvelles.

Les Cahiers du Cabinet en offriront successivement tous les changements & tous les détails pour le prix le plus modique. Si par là les fabriques de France reçoivent quelque encouragement, si le débit de ses Modes ou de leurs matériaux est plus prompt & plus considérable, toutes les nations de l'Europe auront aussi le plaisir d'être instruites, avec une grande facilité, de ce qu'il y a de plus commode, de plus frais & de meilleur goût en ce genre.

Nos provinces jouiront du même avantage, & cette branche de Commerce, peut-être la plus importante de la Capitale, qu'aucune Ville du monde ne peut lui enlever, parce qu'elle tient au génie, au caractère, au goût, surtout au désir de plaire & de se distinguer qui anime tous ses Habitants ; cette branche de Commerce, disons-nous, aura toute la faveur qu'elle mérite.

[...]

Ce goût, le François le possède au plus haut degré ; il sait, avec l'étoffe la plus simple, la gaze la plus légère, faire des ajustements, dont la valeur n'a point de proportion avec le prix de la matière dont ils sont composés. Une main d'œuvre aussi agréable pour l'Europe, un Commerce aussi avantageux pour la capitale, méritent donc l'extension que nous nous efforçons de leur donner par l'Ouvrage que nous publions.

Cabinet des modes, premier cahier, 15 novembre 1785.

Quoique l'envie de plaire plus que les autres ait établi les parures, & que l'envie de plaire plus que soi-même ait établi les *modes,* quoiqu'elles naissent encore de la frivolité de l'esprit, elles font un objet important, dont un état de luxe peut augmenter sans cesse les branches de son commerce. Les François ont cet avantage sur plusieurs autres peuples. Dès le XVIe siècle, leurs *modes* commencèrent à se communiquer aux cours d'Allemagne, à l'Angleterre & à la Lombardie. Les Historiens italiens se plaignent que depuis le passage de Charles VIII on affectoit chez eux de s'habiller à la françoise, & de faire venir de France tout ce qui servoit à la parure. Mylord Bolinbroke rapporte que du tems de M. Colbert les colifichets, les folies & les frivolités du luxe françois coutoient à l'Angleterre 5 à 600000 livres sterlings par an, c'est-à-dire plus de 11 millions de notre monnoie actuelle, & aux autres nations à proportion.

Encyclopédie de Diderot et d'Alembert, article Mode.

Colbert disait que les modes étaient à la France ce que les mines du Pérou étaient à l'Espagne.

Louis-Sébastien Mercier, *Tableau de Paris*, XI, cmxiii, 1781-1789.

Je te parlais l'autre jour de l'inconstance prodigieuse des Français sur leurs modes. Cependant il est inconcevable à quel point ils en sont entêtés : ils y rappellent tout ; c'est la règle avec laquelle ils jugent de tout ce qui se fait chez les autres nations : ce qui est étranger leur paraît toujours ridicule. Je t'avoue que je ne saurais guère ajuster cette fureur pour leurs coutumes avec l'inconstance avec laquelle ils en changeant tous les jours.

Quand je te dis qu'ils méprisent tout ce qui est étranger, je ne parle que des bagatelles : car, sur les choses importantes, ils semblent s'être méfiés d'eux-mêmes jusqu'à se dégrader. Ils avouent de bon cœur que les autres peuples sont plus sages, pourvu qu'on convienne qu'ils sont mieux vêtus. Ils veulent bien s'assujettir aux lois d'une nation rivale, pourvu que les perruquiers français décident en législateurs sur la forme des perruques étrangères. Rien ne leur paraît si beau que de voir le goût de leurs cuisiniers régner du septentrion au midi, et les ordonnances de leurs coiffeuses portées dans toutes les toilettes de l'Europe. Avec ces nobles avantages, que leur importe que le bon sens leur vienne d'ailleurs et qu'ils aient pris de leurs voisins tout ce qui concerne le gouvernement politique et civil ?

Charles de Montesquieu, *Les lettres persanes*, 1721.

La direction m'impose la tâche de vous faire un aveu. Le *mea culpa* sera court et loyal.

On avait oublié, dans votre journal, les Dames de la colonie étrangère à Paris, et les Dames étrangères dans le monde entier ; toutes.

Préoccupé qu'on était de vous seules, Mesdames, c'était comme si les fêtes de Londres, de Moscou, de Vienne, n'existaient pas. Aussi, quelle pluie de lettres avec leurs timbres bizarres, le tout orné de petits commentaires qui cachaient des susceptibilités froissées.

[...]

On veut en ceci imiter les Dames Américaines : c'est à ne pas y croire ; mais enfin ces communications révèlent subitement qu'il y a une nécessité de rapprochement entre tous les membres du *high life*, qu'ils appartiennent au foyer même de toutes les élégances, Paris, ou qu'ils soient répandus dans les différents centres de la vie fashionable.

La direction de *la Dernière Mode*, désireuse de satisfaire à ce besoin, a voulu aller au devant de toute nouvelle réclamation, et annonce une *Gazette de la Fashion*, destinée à tenir les Dames Françaises au courant de ce qui se passe à l'Etranger.

Stéphane Mallarmé, *La dernière mode*, 4ème livraison, 18 octobre 1874.

Monsieur,

Je suis une marchande de modes dont la boutique est dans le *Strand*. C'est moi qui fais venir de Paris tous les mois, une très-jolie poupée de bois. On me l'envoye habillée comme le sont les Françaises, pour donner du goût aux Anglaises ; car sans cette poupée, elles ne seraient point habillées, mais seulement fagotées.

Ange Goudar, L'espion français à Londres, 1779.

Je ne reprocherai pas aux Français leurs inventions fructueuses, ou toute chose louable, mais tout le monde sait bien qui sont ces *gavaches*, qui voudraient en imposer au monde entier de surcroît ; et j'ai souvent songé au fait qu'une nation qui a une si bonne opinion d'elle-même, comme l'ont, je pense, mes compatriotes, se soumette de manière si générale à la *mode* d'une autre, dont ils parlent avec si peu de bienveillance. Que les *Monsieurs* aient pris un ascendant universel sur d'autres parties de l'Europe est imputable à leurs dernières conquêtes ; mais que seule leur extrême vanité nous domine, nous révèle étrangement soumis. Pour ma part, bien que j'aime beaucoup les Français (et ce pour de nombreuses raisons) je serais cependant ravi de leur témoigner mon respect de toute manière autre qu'en habits, car je conçois cela comme un très grand tort à notre patrie et à son discernement.

[...]

Ce n'est pas une remarque triviale [...] que le fait qu'une Nation soit capable d'imposer et de fournir des lois aux habitudes d'une autre, (comme les anciens Tartares en Chine), s'est révélé un signe annonciateur de conquêtes plus étendues ;

[...]

Je ne l'impute pas tant non plus à la légèreté de cette nation protéenne qui se métamorphose si souvent, et que certains sont enclins à condamner ; car cela est clairement leur intérêt, et ils prospèrent grâce à cela ; sans compter le plaisir qu'ils ont à voir le monde entier les suivre et en être friand.

Croyez-le, *la mode de France*, est un des meilleurs revenus qu'ils obtiennent, et nourrit autant de ventres qu'elle couvre de dos.

[...]

Mais, si les Français sont excusables de modifier et d'imposer cette *mode* aux autres, pour les raisons déduites, cela n'en constitue pas moins une faiblesse et une honte pour le reste du monde, ne dépendant pas d'eux, que de l'admettre, en tout cas à ce point de frivolité qui fait adopter toutes leurs formes, sans discrimination, de sorte que lorsque nos *Monsieurs* sont saisis du délire d'apparaître comme autant de farceurs ou de bouffons sur la scène, le monde entier devrait changer de forme et jouer avec eux cette pantomime.

Il me semble qu'un tailleur français avec sa règle à la main ressemble à l'enchanteresse Circé devant les compagnons d'Ulysse et les transforme en autant de formes ; un moment on nous fait flotter dans nos vêtements, comme si nous avions constamment besoin de la chaise percée, et puis plus tard apparaître comme autant de malfaiteurs cousus dans des sacs, de la manière dont on traitait autrefois un parricide, avec un chien, un singe et un serpent :

[...]

Sans aucun doute, si les grands hommes d'Angleterre possédaient seulement leur nation, et s'affirmaient comme ils le devraient, en choisissant une façon virile et bienséante, qui ne pencherait vers aucun extrême, et s'ils lui restaient fidèles, cela nous prouverait d'une réputation infiniment plus grande, que maintenant où rien n'est fixé et la liberté si exorbitante.

Nous raillons l'Espagnol pour sa forme bizarre, non pour la constance qu'il lui témoigne : considérons que ceux qui changent rarement la *mode* de leur pays ont tout aussi rarement modifié leurs sentiments à l'égard de leur Prince :

[...]

Qu'avons nous en commun avec ces papillons étrangers ? Pour l'amour de Dieu, que ce changement soit le nôtre, et non emprunté aux autres ; car pourquoi danserais-je à la manière d'un *Monsieur Flajolet*, moi qui ai un ensemble de violes anglaises pour mon réconfort ? Nous n'avons besoin d'aucune invention française, que ce soit pour la scène ou pour les coulisses ; nous avons de meilleurs tissus pour les vêtements, eux de meilleurs tailleurs : comme il est étrange que les hommes en viennent à s'estimer à l'aune d'une espèce de pauvres hères, neuf d'entre lesquels ne font pas un homme. J'espère voir le jour où tout cela sera réformé, et où le monde entier recevra sa mesure de notre très illustre prince, et de ses grands, et je fais le pronostic de ces petits accidents même et de tout ce qui leur est extrinsèque qu'il y a profondément en eux une direction sage, sûre et glorieuse ; et qu'il sera présomptueux de la part d'une nation étrangère d'en imposer à notre cour, comme c'est assurément le cas et très ridicule, cela pour son plus grand amoindrissement.

[...]

La *Mode* est un tyran, et nous pouvons rejeter son gouvernement, sans dommage pour notre loyauté : mais si nous préférons attendre (ce que j'approuve de loin) l'injonction de nos supérieurs concernant cette régulation également, il serait mieux et plus sage d'éviter la censure. Ceux qui suivaient Alexandre tenaient leurs cous de travers, parce qu'il

l'inclinait plus d'un côté ; et lorsque son père Philipe portait un filet sur
son front en raison d'une blessure qu'il avait reçue, toute la cour apparut de même jusqu'à ce que la guérison fût complète ; mais nous
avons un Prince à la forme élégante, et d'une perfection qui appelle
l'admiration ; de sorte que je ne sais s'il y eut jamais sur ce trône un
personnage nécessitant moins l'artifice pour être rendu plus gracieux et
dont la mine fit que toutes choses lui conviennent ; et donc certainement (de tous les princes d'Europe), le plus apte à donner maintenant
la mesure à cette nouvelle *Mode* à venir, et ce pas uniquement à sa
propre Nation, mais au monde entier de surcroît.

(*Les termes en italiques sont en français dans le texte.*)

    John Evelyn, *Tyrannus or the MODE: in a discourse of sumptuary lawes,*
                                     1661.

17 mai 1787.
Boulogne n'est pas désagréable ; [...] Le mélange de dames françaises et
anglaises donne aux rues un aspect singulier ; les dernières suivent
leurs modes, les autres ne portent pas de chapeaux ; elles se coiffent
d'un bonnet fermé et portent un manteau qui leur descend jusqu'aux
pieds.

18 janvier 1790.
Les Français ont donné le ton à toute l'Europe pendant plus d'un siècle
pour les modes ; mais ce n'est pas chez eux, excepté dans les classes
élevées, un sujet de dépenses comme parmi nous où (pour me servir du
terme usuel) les meilleures choses sont plus répandues dans la masse
qu'ici : cela me frappe, surtout par rapport aux dames françaises de

tout rang, dont la toilette ne coûte pas la moitié de celle des nôtres. On attribue de la légèreté et de l'inconstance aux Français, c'est une grossière exagération en ce qui concerne les modes. Elles changent en Angleterre pour la forme, la couleur, l'assemblage, avec dix fois plus de rapidité ; les vicissitudes de chaque partie de notre vêtement sont vraiment fantastiques. Je ne vois pas qu'il en soit de même ici : par exemple, la forme des perruques d'homme n'a pas varié, tandis qu'il y a eu cinq modes différentes en Angleterre. Rien ne contribue davantage à rendre les gens heureux qu'une facilité d'humeur qui les fasse se conformer aux diverses circonstances de la vie ; c'est ce que possèdent les Français, bien plus que l'esprit capricieux et léger qu'on leur a attribué. Il en découle pour eux cette heureuse conséquence, qu'ils sont bien plus exempts que nous de l'extravagance de mener une vie au delà de leurs moyens. Tous les pays offrent ces tristes exemples dans les rangs les plus élevés ; mais pour un petit noble de province, qui en France sort de sa sphère, vous en trouverez dix en Angleterre. L'idée que je m'étais formée de ce peuple par mes lectures s'est trouvée fausse sur trois points que je croyais prédominants. En comparant les Français avec les Anglais je m'attendais à un plus grand penchant à la causerie, à plus de caprices, à plus de politesse. Je pense, au contraire, qu'ils ne sont pas si causeurs que nous, n'ont pas tant d'entrain et pas un grain de politesse davantage. Je parle non pas d'une classe, mais de la grande masse. Je crois le caractère français incomparablement bien meilleur, et je me demande si on ne doit pas attendre ce résultat d'un gouvernement arbitraire, plutôt que d'habitudes de liberté.

Arthur Young, *Voyages en France pendant les années 1787, 1788 et 1789*, 1792.

Nous terminerons ces observations par quelques observations générales sur les modes, dont le bon goût a plus d'influence qu'on ne le pense sur la considération politique qu'obtient une nation, et par conséquent sur le commerce et la prospérité d'un grand peuple. [...]
Les modes françaises sont généralement adoptées dans toute l'Europe. Les Anglais même, ce peuple, notre ennemi né, qui calcule tout jusqu'à ses plaisirs, sentant bien qu'il ne peut lutter avantageusement avec nous en matière de goût, admet volontiers nos formes dans ses vêtements : mais il se réserve modestement le soin de fournir l'étoffe des notres. Nous qui sommes le meilleur peuple de la terre, nous adoptons les modes anglaises aussi facilement que ses étoffes. Il est à remarquer cependant que c'est toujours de la Tamise que nous viennent, ainsi qu'à nos chevaux, les modes les plus ridicules. Revenons à notre sujet. Les Françaises ont fait des progrès si rapides dans l'art de la toilette, qu'elles donnent le ton aujourd'hui à toutes les femmes de l'Europe.

Ponce, *Aperçu sur les modes françaises* (1800), in *Recueil curieux...*

Tous les Américains sont bien habillés – ils se fournissent à Paris.

Oscar Wilde, *Une femme sans importance*, 1893.

ECONOMIE ET ACADÉMIES

Le constant renouvellement de la mode en fait un puissant moteur économique. Elle est aussi un moyen de redistribuer les richesses comme le résume Chamfort : « Le changement de modes est l'impôt que l'industrie du pauvre met sur la vanité du riche ». Dans la *Fable des abeilles,* où il démontre que l'égoïsme des individus peut produire le bien commun, Mandeville expose en détail, étape par étape, comment la vanité des femmes même les plus pauvres oblige celles de la classe immédiatement supérieure à se distinguer, et pousse ainsi un peuple entier à vivre au-dessus de ses moyens : « C'est cette émulation, ces efforts continuels pour l'emporter les uns sur les autres qui font que, après tous ces changements et ces variations dans les modes, où on en invente de nouvelles et on en renouvelle d'anciennes, il reste encore un *plus ultra* pour les gens ingénieux ». Quelques-uns, tels Goudar et Mercier, perçoivent néanmoins les limites de ce moteur économique dont le caractère imprévisible crée des conditions de travail pénibles – « Une femme seule fait suer sang et eau à deux ou trois cents ouvriers » – et des revirements parfois dramatiques : « Comme le luxe change continuellement d'objets, et que les modes varient avec rapidité, les ouvriers du luxe éprouvent des vicissitudes ruineuses ».

Même si l'économie prospère par la fantaisie de la mode, le caractère imprévisible de celle-ci brave et perturbe l'économie qui se fonde sur la prévision. C'est d'abord dans le but de contrôler, d'assagir et de policer

« la grande emperière » que naissent des projets d'académie de mode. Comme si, sous des dehors élégants, la mode restait au fond une sauvageonne, une rebelle, et parfois une fille des rues qu'il faut faire rentrer dans le rang et institutionnaliser. L'académie imaginée par Furetière vise ainsi à contrôler la mode et ses accès fantasques afin que des notables de province ou des étrangers, qui auraient fait de leur mieux et dépensé sans compter pour leur habit n'encourent plus le ridicule par ignorance des toutes dernières frasques. Avec son « grand conseil de modes », ses « procureurs de modes », ses « auditeurs de mode », ses « juges », ses « huissiers porteurs de modes », ses « correcteurs de modes, qui seraient de bons prud'hommes qui mettraient des bornes à leur extravagance » et son « greffe », « bureau établi, avec un étalon et toutes sortes de mesures », cette académie est clairement un organe de contrôle, visant à brider l'invention et la fantaisie. De fait, « tous les tailleurs seraient obligés de se servir de ces modèles ». Un dénommé Marchand nous livre un « Projet trouvé dans les papiers de feu la Comtesse de C*** » pour l'établissement d'une académie de modes. Celle-ci double sa fonction de contrôle d'une ambition à institutionnaliser la mode en la consacrant, en l'immortalisant, et en l'enseignant. Des médailles seraient attribuées, dont le motif reprend et étoffe les portraits allégoriques vus plus haut.

Dans *Les bijoux indiscrets*, Diderot expose un dispositif légèrement différent mais obéissant au même parti pris de rationalisation. Il ne s'agit plus d'une académie mais d'une machine, l'orgue à mode, conçu sur le modèle de l'orgue à parfum : à chaque touche correspond une teinte et chaque mélodie jouée esquisse une tenue complète. Le but avoué de la machine est d'épargner le souci d'accorder une tenue et ainsi d'éviter les fausses notes vestimentaires : « Une pièce de notre ajustement étant donnée, il ne s'agit que de frapper un certain nombre de touches du clavecin pour trouver les harmoniques de cette pièce, et déterminer les couleurs différentes des autres ». Mais plus fondamentalement, il s'agit ici aussi de réintroduire par quelque moyen que ce soit du rationnel dans cet art dangereux à force d'irrationnel. Malgré son apparence ludique et presque futile, l'orgue à mode conserve la mécanique rigoureuse d'un instrument de musique, art qui donne à entendre l'harmonie universelle, la perfection mathématique de la Création.

Nous regardons toujours au-dessus de nous et de toutes nos forces nous nous efforçons d'imiter ceux qui d'une façon ou d'une autre nous sont supérieurs.

La femme du plus pauvre journalier du village, qui dédaigne de porter une bonne ratine chaude, comme elle le pourrait, se fera presque mourir de faim avec son mari pour acheter une robe et un jupon d'occasion qui ne lui feront pas moitié autant d'usage, parce que, vraiment, c'est plus distingué. Le tisserand, le cordonnier, le tailleur, le barbier, tous les humbles travailleurs à qui il ne faut pas grand-chose pour s'installer, ont l'impudence d'employer le premier argent qu'ils gagnent à se vêtir en commerçants aisés. [...] Le droguiste, le marchand de soierie, le marchand de drap, et les autres boutiquiers honorables ne voient pas de différence entre eux-mêmes et les grands négociants, et par conséquent s'habillent et vivent comme eux. La femme du négociant, incapable de supporter la hardiesse de ces artisans, va chercher refuge à l'autre extrémité de la ville, et dédaigne de suivre une autre mode que celle qu'elle y trouve. La cour s'alarme de cette présomption, les femmes de qualité s'effraient de voir des femmes et des filles de négociants habillées comme elles ; l'impudence de ces bourgeois, s'écrient-elles, est intolérable ; on fait chercher des couturières, et l'invention des modes nouvelles devient leur seule étude, afin d'avoir une vogue nouvelle toujours prête pour le moment où ces insolentes parvenues se mettront à imiter celle qui règne à l'heure actuelle. La même émulation se prolonge par tous les degrés de qualité jusqu'à causer des dépenses incroyables, tant qu'enfin les favoris du prince et les premiers personnages du pays, n'ayant plus rien d'autre par quoi dépasser leurs inférieurs, se voient forcés de dépenser d'immenses fortunes en équipages somptueux, en mobilier magnifique, en jardins fastueux et en châteaux princiers.

C'est cette émulation, ces efforts continuels pour l'emporter les uns sur les autres qui font que, après tous ces changements et ces variations dans les modes, où on en invente de nouvelles et on en renouvelle d'anciennes, il reste encore un *plus ultra* pour les gens ingénieux. C'est elle, ou du moins ce sont ses conséquences, qui donnent du travail aux pauvres, stimulent l'industrie, et encouragent l'ouvrier habile à chercher encore des perfectionnements.

Bernard de Mandeville, *La fable des abeilles*, 1714.

Une femme seule fait suer sang et eau à deux ou trois cents ouvriers ; il suffit qu'elle se soit mise en tête de paraître un certain jour avec une nouvelle parure, pour qu'il n'y ait plus de repos dans cinquante familles. Il y a telle dame, dans cette capitale, qui porte sur elle trois siècles de main-d'œuvre ; non seulement elle a tourmenté les races passées mais même la présente.

Ange Goudar, *L'espion chinois*, lettre XXIX, 1773.

Comme le luxe change continuellement d'objets, et que les modes varient avec rapidité, les ouvriers du luxe éprouvent des vicissitudes ruineuses ; et leur sort est toujours incertain, tandis que celui de l'agriculteur ne l'est pas. Tel colifichet perd de sa faveur, et voilà des hommes qui tombent inopinément dans le besoin.

Un autre jour s'accrédite un nouveau genre : des ouvriers qui mouroient de faim se trouvent dans une abondance imprévue, et suffisent à peine aux demandes des amateurs. Mais ces artisans, soumis aux idées de fantaisie, n'ont que des momens de vogue ; ils ne savent à quel objet s'attacher, pour assurer leur subsistance. Quand le caprice vient à changer, plusieurs ne sont plus en état d'embrasser une profession nouvelle. La pénurie les desseche, et l'état perd des citoyens dont les bras et la tête sont devenus absolument oisifs.

Si l'on dit que les ouvriers favorisés jouissent à leur tour de la souffrance des autres, et dédommagent l'état de la perte des malheureux, il faudroit pouvoir ajouter que cette abondance sera durable. Mais non ; ils tombent invinciblement dans l'abyme de la misere, ces futilités changeantes exigeant une adresse particuliere. Prisée la veille, nulle le lendemain, cette industrie n'est point applicable à des objets utiles ; elle est trop ou trop peu payée, selon le cours de ces joujoux bizarres. Aussi l'artisan qui connoît lui-même l'instabilité de sa profession, n'ose jamais statuer sur rien, et la population ordinairement ne gagne pas avec lui.

Louis-Sébastien Mercier, *Tableau de Paris*, VII, dlv, 1781-1789.

Aussi bien je sais que, quelque soin qu'on prenne à s'ajuster, particulièrement pour les gens de la ville, on y trouvera toujours à redire : car, comme la mode change tous les jours, et que ces jours ne sont pas des fêtes marquées dans le calendrier, il faudrait avoir des avis et des espions à la Cour, qui vous avertissent à tous moments des changements qui s'y font ; autrement on est en danger de passer pour bourgeois ou pour provincial.

— Vous avez grande raison (ajouta le marquis) ; cette difficulté que vous proposez est presque invincible, à moins qu'il y eût un bureau d'adresse établi ou un gazetier de modes qui tînt un journal de tout ce qui s'y passerait de nouveau. – Ce dessein (dit Hyppolite) serait fort joli, et je crois qu'on vendrait bien autant de ces gazettes que des autres.

– Puisque vous vous plaisez à ces desseins (dit le marquis), je veux vous en réciter un bien plus beau, que j'ouïs dire ces jours passés à un avocat, qui cherchait un partisan pour traiter avec lui de cet avis. [...] Il disait qu'il serait très important de créer en ce royaume un grand conseil de modes, et qu'il serait aisé de trouver des officiers pour le remplir : car, premièrement, des six corps des marchands on tirerait des procureurs de modes, qui en inventent tous les jours de nouvelles pour avoir du débit ; du corps des tailleurs on tirerait des auditeurs de mode, qui, sur leurs bureaux ou établis, les mettraient en état d'être jugées, et en feraient le rapport ; pour juges on prendrait les plus légers et les plus extravagants de la Cour, de l'un et de l'autre sexe, qui auraient pouvoir de les arrêter et vérifier, et de leur donner autorité et crédit. Il y aurait aussi des huissiers porteurs de modes, exploitant par tout le royaume de France. Il y aurait enfin des correcteurs de modes, qui seraient de bons prud'hommes qui mettraient des bornes à leur extra-vagance, et qui empêcheraient, par exemple, que les formes des cha-peaux ne devinssent hautes comme des pots à beurre, ou plates comme des calles, chose qui est fort à craindre lorsque chacun les veut hausser ou aplatir à l'envi de son compagnon, durant le flux et reflux de la mode des chapeaux ; ils auraient soin aussi de procurer la réformation des habits, et les décris nécessaires ; comme celui des rubans, lorsque les garnitures croissent tellement qu'il semble qu'elles soient montées en graine, et viennent jusqu'aux pochettes. Enfin, il y aurait un greffe ou un bureau établi, avec un étalon et toutes sortes de mesures, pour régler les différends qui se formeraient dans la juridiction, avec une figure vêtue selon la dernière mode, comme ces poupées qu'on envoie pour ce sujet dans les provinces. Tous les tailleurs seraient obligés de se servir de ces modèles, comme les appareilleurs vont prendre les mesures sur les plans des édifices qu'on leur donne à faire. Il y aurait pareillement en ce greffe une pancarte ou tableau où seraient spécifiées par le menu les manières et les règles pour s'habiller, avec les longueurs des chausses, des manches et des manteaux, les qualités des étoffes, garnitures, dentelles, et autres ornements des habits, le tout de la même forme que les devis de maçonnerie et de charpenterie. Et voici le grand avantage que le public en retirerait : c'est qu'il arrive souvent qu'un riche bourgeois, et surtout un provincial, ou un Allemand, aura prodigué beaucoup d'argent pour se vêtir le mieux qu'il lui aura été possible, et il n'y aura pas réussi, quelque consultation qu'il ait faite de toute sorte d'officiers qu'il aura pu assembler pour résoudre toutes ses difficultés. Car il se trouvera souvent que, si l'habit est bien fait, il n'en sera pas de même des bas ou du chapeau ; enfin il vivra toujours dans l'ignorance et dans l'incertitude. Au lieu que, s'il en doute, par exemple, si la forme de son chapeau est bien faite, il n'aura qu'à la porter au bureau des modes, pour la faire jauger et mesurer, comme on fait les litrons et les boisseaux qu'on marque à l'Hôtel de Ville. Ainsi, se faisant étalonner et examiner depuis les pieds jusqu'à la tête, et en ayant tiré bon certificat, il aurait sa conscience en repos de ce côté-là, et son honneur serait à couvert de tous les reproches que lui pourrait faire la coquette la plus critique.

Antoine Furetière, *Le roman bourgeois*, 1666.

Etablissement d'une académie de modes ; Projet trouvé dans les papiers de feu la Comtesse de C***.

C'est vainement que nos prétendus Sages & nos Journalistes déclament depuis longtemps avec amertume contre la frivolité de nos usages & de nos modes. C'est du sein de notre inconstance, que sortent l'abondance & la circulation qui font la gloire Nationale.

[...]

Il est donc de la plus grande importance pour l'Etat, qu'on établisse des honneurs, des distinctions, & même des récompenses signalées pour ces êtres charmans & légers, dont les connoissances refléchies procurent au public des modèles précieux dans les différents genres d'ajustemens. Les recherches studieuses à cet égard, ne sauroient être trop encouragées, & c'est pour les faire jouir d'une gloire brillante, & justement méritée, que j'ôse proposer l'établissement d'un monument où les sublimes découvertes dans les modes puissent être à jamais consacrées avec les noms de leurs inventeurs.

[...]

L'académie des Belles-Lettres met des systêmes en vogue, & elle anéantit souvent les anciens ; mais toutes ses recherches sont de pures spéculations. Il en résulte peu de choses en faveur de l'utilité publique, tandis qu'une découverte moderne dans les modes fait ouvrir toutes les bourses, fructifie dans les Provinces, & fait au bout d'un mois circuler un million, qui seroit resté oisif entre les mains des possesseurs. L'invention des grandes boucles, toute simple par elle-même & qui a dû coûter peu à son auteur, a fait rouler dans le monde plus de dix millions, dont les étrangers ont payé au moins les deux tiers. Un établissement savant ne frappe l'oreille que de cinq cents érudits ; mais une mode agréable fixe l'attention des trois quarts du Royaume, qui fait gloire de l'adopter.

[...]

C'est dans cet esprit que nous ôsons proposer l'Etablissement d'une ACADEMIE DES MODE, qui en signalant notre goût & en multipliant nos richesses, nous rendra l'admiration & le modèle de tout l'Univers. [...] Notre nouvelle Académie doit être composée de cinquante Virtuoses ; sçavoir, vingt-cinq hommes & vingt-cinq femmes signalées par leur bon goût, & choisis parmi les gens de la Cour & de la Ville qui se distinguent par l'élégance la plus recherchée.

Ces cinquante Associés formeront deux Bureaux.

[...]

Les deux Bureaux se réuniront au moins une fois chaque mois pour arrêter ensemble la forme la plus séduisante des ajustemens qui pourront convenir aux deux sexes conjointement.

[...]

Les cheveux entrant de nos jours dans la composition des parures, l'Académie en règlera l'usage & le mélange.

[...]

L'ornement ou la commodité du corps humain sera du ressort de l'Académie, qui, toutes les semaines, donnera son approbation aux projets proposés, ou les rejettera sans appel.

[...]

Tout inventeur, fabriquant ou marchand, sera tenu de remettre au secrétaire de chaque Bureau, selon sa compétence l'invention ou le chef-d'œuvre qu'il entreprendra d'accréditer, même les remèdes de modes, à l'effet d'en faire son rapport à la prochaine séance.

[...]

Il sera établit deux Chaires de modes, où deux Professeurs, homme & femme, donneront chacun, une fois par semaine, des leçons sur l'art d'inventer & de perfectionner les objets de goût, de coquéterie & généralement tout ce qui a rapport aux moyens de plaire. Les dame du bon air pourront, le matin en chenille, suivre un cours de parure, comme on suit ceux de Botanique, de Physique ou d'Astronomie.

L'on distribuera annuellement deux médailles du poids de cinq-cens livres chacune, pour prix de distinction à ceux qui se seront le plus signalé par des inventions nouvelles ou par la pratique assidue des nouveautés. Il y aura aussi deux *accessit* pour les élèves les plus distingués.

[...]

Les secrétaires auront les mêmes honoraires, & chaque Académicien sera tenu de se conformer à la mode nouvelle, dès qu'elle aura été revêtue du sceau approbatif de la Compagnie.

Les fonds de la Compagnie seront établis sur les réceptions des Tailleurs, Perruquiers, Chapeliers, Dessinateurs, Bijoutiers, & autres coopérateurs au soutien du bel air. Les Marchandes de modes paieront également, suivant le tarif qui sera arrêté proportionnellement à leur industrie & à leur crédit.

[...]

La Médaille académique sera un vaisseau en pleine mer, avec toutes ses voiles déployées ; quatre vents le souffleront en sens contraire, & l'Amour tiendra le gouvernail ; Momus, une lorgnette à la main, sera à la poupe, environné d'enfans aîlés & faisant des boules de savon. On lira autour *mors aut sauss ex ventis* (un vent les établit, un autre les détruit). Le revers portera une Renommée dont la coëffure se perdra dans les nues ; elle aura à la main pour trompette une corne d'abondance, d'où il tombera des écus, des fleurs, & des papillons avec ces mots autour *plus dat quam sonat* (ses largesses surpassent ses dons). Des Génies, placés au bas tendront les bras comme pour recueillir une manne précieuse.

Jean-Henri Marchand, d'après Barbier. *Les panaches ou les coëffures à la mode ; comédie en un acte, précédée de recherches sur la coëffure des femmes de l'Antiquité et suivie d'un projet d'établissement d'une académie de modes*, 1778.

Ici Mirzoza se mit à rire aux éclats. Puis elle ajouta : « Et la toilette ? » Mangogul lui dit : « Madame se rappellerait-elle un certain brahme noir, fort original, moitié sensé, moitié fou ?

— Oui, je me rappelle. C'était un bon homme qui mettait de l'esprit à tout, et que les autres brahmes noirs, ses confrères, firent mourir de chagrin.

— Fort bien. Il n'est pas que vous n'ayez entendu parler, ou peut-être même que vous n'ayez vu un certain clavecin où il avait diapasoné les couleurs selon l'échelle des sons, et sur lequel il prétendait exécuter pour les yeux une sonate, un allégro, un presto, un adagio, un cantabile, aussi agréables que ces pièces bien faites le sont pour les oreilles.

— J'ai fait mieux : un jour je lui proposai de me traduire dans un menuet de couleurs, un menuet de sons ; et il s'en tira fort bien.

— Et cela vous amusa beaucoup ?

— Beaucoup ; car j'étais alors un enfant.

— Eh bien ! mes voyageurs ont retrouvé la même machine chez leurs insulaires, mais appliquée à son véritable usage.

— J'entends ; à la toilette.

— Il est vrai ; mais comment cela ?

— Comment ? le voici. Une pièce de notre ajustement étant donnée, il ne s'agit que de frapper un certain nombre de touches du clavecin pour trouver les harmoniques de cette pièce, et déterminer les couleurs différentes des autres.

— Vous êtes insupportable ! On ne saurait vous rien apprendre ; vous devinez tout.

— Je crois même qu'il y a dans cette espèce de musique des dissonances à préparer et à sauver.

— Vous l'avez dit.

— Je crois en conséquence que le talent d'une femme de chambre suppose autant de génie et d'expérience, autant de profondeur et d'études que dans un maître de chapelle.

— Et ce qui s'ensuit de là, le savez-vous ?

— Non.

— C'est qu'il ne me reste plus qu'à fermer mon journal, et qu'à prendre mon sorbet. Sultane, votre sagacité me donne de l'humeur.

— C'est-à-dire que vous m'aimeriez un peu bête.

— Pourquoi pas ? cela nous rapprocherait, et nous nous en amuserions davantage. Il faut une terrible passion pour tenir contre une humiliation qui ne finit point. Je changerai ; prenez-y garde.

– Seigneur, ayez pour moi la complaisance de reprendre votre journal, et d'en continuer la lecture.

– Très volontiers. C'est donc mon voyageur qui va parler. »

« Un jour, au sortir de table, mon hôte se jeta sur un sofa où il ne tarda pas à s'endormir, et j'accompagnai les dames dans leur appartement. Après avoir traversé plusieurs pièces, nous entrâmes dans un cabinet, grand et bien éclairé, au milieu duquel il y avait un clavecin. Madame s'assit, promena ses doigts sur le clavier, les yeux attachés sur l'intérieur de la caisse, et dit d'un air satisfait :

« Je le crois d'accord. »

Et moi, je me disais tout bas : « Je crois qu'elle rêve ; » car je n'avais point entendu de son...

« Madame est musicienne, et sans doute elle accompagne ?

– Non.

– Qu'est-ce donc que cet instrument ?

– Vous l'allez voir. » Puis, se tournant vers ses filles : « Sonnez, dit-elle à l'aînée, pour mes femmes. »

Il en vint trois, auxquelles elle tint à peu près ce discours : « Mesdemoiselles, je suis très mécontente de vous. Il y a plus de six mois que ni mes filles ni moi n'avons été mises avec goût. Cependant vous me dépensez un argent immense. Je vous ai donné les meilleurs maîtres ; et il semble que vous n'avez pas encore les premiers principes de l'harmonie. Je veux aujourd'hui que ma fontange soit verte et or. Trouvez-moi le reste. »

La plus jeune pressa les touches, et fit sortir un rayon blanc, un jaune un cramoisi, un vert, d'une main ; et de l'autre, un bleu et un violet.

« Ce n'est pas cela, dit la maîtresse d'un ton impatient ; adoucissez-moi ces nuances. »

La femme de chambre toucha de nouveau, blanc, citron, bleu turc, ponceau, couleur de rose, aurore et noir.

« Encore pis ! dit la maîtresse. Cela est à excéder. Faites le dessus. »

La femme de chambre obéit ; et il en résultat : blanc, orangé, bleu pâle, couleur de chair ; soufre et gris.

La maîtresse s'écria :

« On n'y saurait plus tenir.

— Si madame voulait faire attention, dit une des deux autres femmes, qu'avec son grand panier et ses petites mules...

— Mais oui, cela pourrait aller... »

Ensuite la dame passa dans un arrière-cabinet pour s'habiller dans cette modulation. Cependant l'aînée de ses filles priait la suivante de lui jouer un ajustement de fantaisie, ajoutant :

« Je suis priée d'un bal ; et je me voudrais leste, singulière et brillante. Je suis lasse des couleurs pleines. »

« Rien n'est plus aisé, » dit la suivante ; et elle toucha gris de perle, avec un clair-obscur qui ne ressemblait à rien ; et dit : « Voyez, mademoiselle, comme cela fera bien avec votre coiffure de la Chine, votre mantelet de plumes de paon, votre jupon céladon et or, vos bas cannelle, et vos souliers de jais ; surtout si vous vous coiffez en brun, avec votre aigrette de rubis.

– Tu veux trop, ma chère, répliqua la jeune fille. Viens toi-même exécuter tes idées. »

Le tour de la cadette arriva ; la suivante qui restait lui dit :

« Votre grande sœur va au bal ; mais vous, n'allez-vous pas au temple ?

– Précisément ; et c'est par cette raison que je veux que tu me touches quelque chose de fort coquet.

– Eh bien ! répondit la suivante, prenez votre robe de gaze couleur de feu, et je vais chercher le reste de l'accompagnement. Je n'y suis pas..., m'y voici... non... c'est cela... oui, c'est cela... vous serez à ravir... Voyez, mademoiselle : jaune, vert, noir, couleur de feu, azur, blanc et bleu ; cela fera à merveille avec vos boucles d'oreilles de topaze de Bohême, une nuance de rouge, deux assassins, trois croissants et sept mouches... »

Ensuite elles sortirent, en me faisant une profonde révérence. Seul, je me disais : « Elles sont aussi folles ici que chez nous. Ce clavecin épargne pourtant bien de la peine. »

Mirzoza, interrompant la lecture, dit au sultan : « Votre voyageur aurait bien dû nous apporter une ariette au moins d'ajustements notés, avec la basse chiffrée.

LE SULTAN

C'est ce qu'il a fait,

MIRZOZA

Et qui est-ce qui nous jouera cela ?

LE SULTAN

Mais quelqu'un des disciples du brahme noir ; celui entre les mains duquel son instrument oculaire est resté. Mais en avez-vous assez ?

MIRZOZA

Y en a-t-il encore beaucoup ?...

LE SULTAN

Non ; encore quelques pages, et vous en serez quitte...

MIRZOZA

Lisez-les.

LE SULTAN

« J'en étais là, dit mon journal, lorsque la porte du cabinet où la mère était entrée, s'ouvrit, et m'offrit une figure si étrangement déguisée, que je ne la reconnus pas. Sa coiffure pyramidale et ses mules en échasses l'avaient agrandie d'un pied et demi ; elle avait avec cela une palatine blanche, un mantelet orange, une robe de velours ras bleu pâle, un jupon couleur de chair, des bas soufre, et des mules petit-gris ; mais ce qui me frappa surtout, ce fut un panier pentagone, à angles saillants et rentrants, dont chacun portait une toise de projection. Vous eussiez dit que c'était un donjon ambulant, flanqué de cinq bastions. L'une des filles parut ensuite.

« Miséricorde ! s'écria la mère, qui est-ce qui vous a ajustée de la sorte ?

Retirez-vous ! vous me faites horreur. Si l'heure du bal n'était pas si proche, je vous ferais déshabiller. J'espère du moins que vous vous masquerez. » Puis, s'adressant à la cadette : « Pour cela, » dit-elle, en la parcourant de la tête aux pieds, « voilà qui est raisonnable et décent. »

Cependant monsieur, qui avait aussi fait sa toilette après sa médianoche, se montra avec un chapeau couleur de feuille morte, sous lequel s'étendait une longue perruque en volutes, un habit de drap à double broche, avec des parements en carré longs, d'un pied et demi chacun ; cinq boutons par devant, quatre poches, mais point de plis ni de paniers ; une culotte et des bas chamois ; des souliers de maroquin vert ; le tout tenant ensemble, et formant un pantalon.

Ici Mangogul s'arrêta et dit à Mirzoza, qui se tenait les côtés : « Ces insulaires vous paraissent fort ridicules... »

Mirzoza, lui coupant la parole, ajouta : « Je vous dispense du reste ; pour cette fois, sultan, vous avez raison ; que ce soit, je vous prie, sans tirer à conséquence. Si vous vous avisez de devenir raisonnable, tout est perdu. Il est sûr que nous paraîtrions aussi bizarres à ces insulaires, qu'ils nous le paraissent ; et qu'en fait de modes, ce sont les fous qui donnent la loi aux sages, les courtisanes qui la donnent aux honnêtes femmes, et qu'on n'a rien de mieux à faire que de la suivre. Nous rions en voyant les portraits de nos aïeux, sans penser que nos neveux riront en voyant les nôtres. »

Denis Diderot, *Les bijoux indiscrets*, 1748.

Epilogue

Les six textes de cet épilogue jettent un regard sombre et désabusé sur la mode. Pour le lecteur actuel, même les critiques les plus graves présentées ci-dessus conservent quelque chose de bon enfant, soit dans le ton ou par les ridicules fustigés, soit en raison du temps écoulé depuis leur parution. Les textes qui suivent sont plus modernes et dénoncent des mécanismes profonds qui nous déterminent encore et nous touchent donc de plus près.

Dans un texte très foisonnant qui reprend et résume un grand nombre de sujets évoqués plus haut, Uzanne approfondit l'analyse du rapport des femmes et de la mode. Tyrans tyrannisés, c'est par et pour la mode, dont elles sont esclaves, que les femmes réduisent les hommes en esclavage. Et c'est pour conserver ce pouvoir sur les hommes qu'elles sont prêtes à renoncer à leur propre liberté, de sorte qu'Uzanne dénonce la mode comme le pire ennemi de l'émancipation des femmes.

Zola poursuit cette dénonciation de la mode comme tyran de la femme du point de vue économique. Vieux de plus d'un siècle, ce court texte analyse les mécanismes « du grand commerce moderne » exploitant la compulsion féminine à la consommation, avec une lucidité effrayante. La mode y apparaît comme l'appât de la « mécanique à manger les femmes ». Les images de sang et de chair font de l'aimable tyran un Moloch effroyable.

Leopardi va encore plus loin lorsqu'il présente la mode comme la sœur et l'acolyte de la mort. Filles de la Caducité et toutes deux fulgurantes, elles travaillent « à défaire et à bouleverser sans répit les choses d'ici-bas » et à renouveler le monde. Pour prouver sa valeur à sa sœur, la Mode fait valoir les scarifications, les tortures, les supplices qu'elle impose aux hommes – ou plutôt qu'ils s'imposent eux-mêmes en son honneur –, rappelle les contraintes et les maladies qu'ils endurent à cause d'elle et se vante finalement d'être parvenue au XIXᵉ siècle à mettre la mort à la mode.

Walter Benjamin modifie la distribution. Le Trépas devient le commis de la Mode qui tient boutique. La Mode « titille » le Trépas et lui échappe toujours par ses métamorphoses continuelles. Par la mode, la femme flirte avec la mort. Si Fargue et Uzanne affirmaient que la mode est l'alliée de la reproduction, Benjamin pose le contraire : « Toute mode est en conflit avec la vie organique ». Elle est du côté de la mort, du cadavre, du fétiche, de la marchandise. En jouant l'entremetteuse pour « marier le corps vivant au monde inorganique », la mode organise la mise en commun des biens des époux qui échangent leurs caractéristiques : la marchandise s'anime et la femme se réifie, la marchandise devient vivante et la femme objet.

Si la mode est suffisamment puissante pour donner vie aux marchandises, rient d'étonnant à ce qu'elle leur donne également un sens. Plus proche de nous, la mode est décryptée comme signe. Renaud Camus cite une phrase de Barthes qui donne une nouvelle lecture du phénomène de l'éternel retour en mode : « Toute chose revient, mais elle revient comme Fiction, c'est-à-dire à un autre tour de la spirale ». Camus propose une version contemporaine, statique et perverse du schéma donné par Mandeville des strates sociales prises dans des rivalités et une émulation générale. Le vêtement n'est plus l'expression directement lisible d'une position sociale et différents sens – ou signifiés – correspondent à un même signe – ou signifiant. L'analyse cocasse du choix ou du refus des bagages LV indexe une civilisation qui élève la consommation au rang d'un langage.

Le constat de Georges Perec est d'autant plus sombre qu'il propose une vision éclatante de ce que la mode pourrait être. Mais avant cela il observe et constate. Comme Camus, Perec révèle la mode comme productrice de signes, de « points de repère auxquels une collectivité se rattache » et se demande si ceux-ci ne pourraient être cherchés ailleurs. Comme Zola, il dénonce le rôle moteur que lui assignent nos sociétés – communautés et multinationales – marchandes : « une carotte au bout d'un bâton ». Mais là où la plupart voyaient de l'extravagance, de la fantaisie et tout ce qui fait une douce folie, Perec voit maintenant une folie enragée. Cette fureur qui « casse les oreilles » et impose le même air à tous révèle que « la mode est entièrement du côté de la violence : violence de la conformité, de l'adhérence aux modèles, violence du consensus social et des mépris qu'il dissimule. » La reine et souveraine des allégories, auparavant délicieusement capricieuse et fantasque, se révèle soudain despotique et totalitaire. Aidée de la « mondialisation », elle a étendu son royaume au globe entier et tue toute rébellion dans l'œuf en la récupérant immédiatement : « Ça ne sert pas à grand chose d'être ou de vouloir être contre la mode. Tout ce que l'on peut vouloir, peut-être, c'est être à côté ». Cette vision totalitaire et violente contraste avec ce que la mode aurait pu être, avant que cette utopie ne « tourne mal » : « Il devrait s'agir de plaisir [...] Cela s'appellerait la mode : une manière de jouissance, le sentiment d'une petite fête, d'un gaspillage ; quelque chose de futile, d'inutile, de gratuit, d'agréable. »

Montaigne disait de la mode que c'est une *Reine et une grande empirière*, dont le séjour de prédilection est la France. Cela ne cessera jamais d'être vrai. La mode française est plus *empirière* encore à cette heure qu'elle ne l'était aux temps lointains où l'auteur des *essais* philosophait à son endroit. Les femmes conduisent sans cesse le monde, et la mode exerce toujours sur elles sa tyrannie opiniâtre et perpétuelle. C'est en vain que les progrès ont modifié les apparences sociales, que les révolutions ont métamorphosé les mœurs politiques, que les préjugés se sont inclinés devant les droits de la femme à concurrencer l'homme dans toutes les professions libérales... Rien n'y a fait. La mode domine mieux que naguère l'éternel féminin ; c'est encore la déesse inconstante et frivole dont parla Voltaire :

> *Bizarre dans ses goûts, folle en ses ornements,*
> *Qui paraît, fuit, revient et naît en tous les temps.*

En aucune saison, elle ne nous donne répit ; la nouveauté de la veille est une vieillerie du lendemain. La mode modèle les apparences de la femme à tel point qu'on retrouve difficilement celle-ci sous les falbalas déformateurs qui décorent les crinolines ou sous l'ampleur des manches à gigot qui étoffe jusqu'à la caricature les grâces de son buste. De la tête aux talons, la femme n'est jamais semblable. Nos pères l'ont connue et aimée sous les bandeaux ondulés, sous les *repentirs* ou sous le *catogan*, drapée dans les châles indiens ou sous des linons en écharpe ; nous autres l'avons vue dans toutes ses métamorphoses invraisemblables, avec des strapontins sur la croupe, des draperies tapissières festonnant ses jupes démesurées, des boléros à l'espagnole, dessinant la taille, ou de souples péplums à la grecque adhérant à ses formes, à la façon de gracieuses statuettes tanagréennes. L'an dernier, la suprême folie de la déesse, dont le sceptre est une girouette toujours en action sous la poussée de tous les vents de la fantaisie, fut cette robe entravée qui serrait notre idole aux pieds, à la manière des momies en leur tombe et ne laissait à sa démarche qu'un espace ridiculement limité ; telle une course en sac dans les fêtes communales.

A l'heure actuelle, on lance avec frénésie la jupe-pantalon ; c'est le dernier cri de la grande *empirière*. La *jupe-culotte* pour femmes sera-t-elle un jour la joie de nos yeux amusés ? Ce n'est pas encore certain mais c'est quelque peu probable. Une seule chose risquerait de faire échouer cette mode, c'est qu'elle apparaît remarquablement pratique, hygiénique et conforme au rôle nouveau de la femme émancipée.

[...]

La réussite de la jupe-culotte ne doit donc pas être simplement considérée comme un sujet de plaisante causerie. De son adoption dépend peut-être une direction nouvelle dans l'évolution du costume féminin qui pourrait, au grand avantage des apôtres de l'émancipation totale de la femme, se rapprocher de celui de l'homme.

[...]

Harry de Smart avait raison dans ses discours, mais les femmes ne jugent point comme nous, dans la majorité des cas. La mode demeure leur dernière superstition, qui est la plus tenace, la plus vaniteuse de toutes et qui reste comme le témoignage de leur frivolité innée. Elles ne peuvent se soustraire à la religion du chiffon. Elles ont la dévotion fervente de la fashion. Ce sont des comédiennes éprises de l'effet à produire, soucieuses d'attirer l'attention et de dominer leurs rivales par l'éclat du luxe déployé ou le raffinement d'élégance du dernier cri de la création parisienne. Elles ne cherchent point à dégager certaine personnalité dans leur tenue, à témoigner de leur dédain pour les outrances du costume ; ces outrances, elles ne les perçoivent. Elles sont aveugles vis-à-vis du ridicule de leurs couvre-chefs, des excès de leurs postiches ou de la déformation des tournures. Elles demeurent également sourdes aux avis des hommes de science qui leur dénoncent les innombrables méfaits du corset. A aucune époque de l'histoire, elles n'ont fait le moindre effort pour s'émanciper de la torture des fraises, des cols, des chaussures, des baleines d'ordonnance, afin d'imposer un costume simple, pratique, hygiénique, dégagé et durable. Avant de songer à être heureuses et légèrement indépendantes, physiquement et moralement, elles réclament cet héroïque droit à la folie qui ne les abandonne jamais : *être à la mode.*

Il semble que les actives revendicatrices du féminisme, celles qui, à tout propos et hors de propos, gravissent à diverses tribunes pour affirmer l'égalité de l'homme et de la femme et réclamer pour celle-ci tous les droits politiques et sociaux, ainsi que tous les accès aux professions masculines, devraient bien s'entendre auparavant pour déclarer vigoureusement la guerre à la Mode.

[...]

La première démonstration des droits de la femme consisterait à nous fournir ce témoignage que l'*Eve nouvelle* n'est plus une poupée, ni une bête de luxe au service des vanités de l'homme de plaisir. Après nombre d'actes d'iconoclastie du Temple de la Mode, après des affirmations sincères d'indépendance et de révolution accomplie, il nous viendrait sans doute quelque respect pour l'attitude des conquérantes, travaillant non seulement pour elles-mêmes, mais aussi gagnant la bataille contre la sottise mondaine et sociale qui s'efforce à la piaffe.

[...]

Mais cette heure de sagesse viendra-t-elle jamais ? [...] La Mode est tellement l'image changeante de la femme que l'une ne saurait vivre sans l'autre. – Il n'y a que la Mode qui puisse rendre socialement toutes les femmes satisfaites d'elles-mêmes. La Mode, c'est leur art, leur littérature, leur science, leur histoire. Comme à la déesse des apparences, elles lui accordent, plus qu'elles ne l'avouent, un impérissable culte. C'est pourquoi le féminisme ne triomphera, hélas, jamais intégralement de la Mode. [...] En France, à Paris, le *féminisme* ne sera jamais qu'un mot vague, qu'un mouvement de minorité, qu'une théorie qui n'entrera point complètement d'emblée dans la pratique de nos mœurs, parce que, pour asseoir le féminisme, il faudrait l'asseoir sur les ruines de la Mode... sur les ruines de notre chère Babylone moderne. Or, chez nous, les hommes suivront longtemps encore les femmes et les femmes suivront toujours la Mode, si laide, si extravagante, si coûteuse soit-elle.

Le féminisme ne sera jamais en France que de l'*essayage*, c'est-à-dire encore de la Mode. La grande *empirière*, qui a survécu aux ironies du sage Montaigne, survivra aux revendications des féministes. Conçoit-on notre pays privé de la Mode ? Cela semble la plus démente des utopies.

Octave Uzanne, *Sottisier des mœurs*, 1911.

Et, en quelques phrases dites à l'oreille du baron Hartmann, comme s'il lui eût fait de ces confidences amoureuses qui se risquent parfois entre hommes, il acheva d'expliquer le mécanisme du grand commerce moderne. Alors, plus haut que les faits déjà donnés, au sommet, apparut l'exploitation de la femme. Tout y aboutissait, le capital sans cesse renouvelé, le système de l'entassement des marchandises, le bon marché qui attire, la marque en chiffres connus qui tranquillise. C'était la femme que les magasins se disputaient par la concurrence, la femme qu'ils prenaient au continuel piège de leurs occasions, après l'avoir étourdie devant leurs étalages. Ils avaient éveillé dans sa chair de nouveaux désirs, ils étaient une tentation immense, où elle succombait fatalement, cédant d'abord à des achats de bonne ménagère, puis gagnée par la coquetterie, puis dévorée. En décuplant la vente, en démocratisant le luxe, ils devenaient un terrible agent de dépense, ravageaient les ménages, travaillaient au coup de folie de la mode, toujours plus chère. Et si, chez eux, la femme était reine, adulée et flattée dans ses faiblesses, entourée de prévenances, elle y régnait en reine amoureuse, dont les sujets trafiquent, et qui paye d'une goutte de son sang chacun de ses caprices. Sous la grâce même de sa galanterie, Mouret laissait ainsi passer la brutalité d'un juif vendant de la femme à la livre : il lui élevait un temple, la faisait encenser par une légion de commis, créait le rite d'un culte nouveau ; il ne pensait qu'à elle, cherchait sans relâche à imaginer des séductions plus grandes ; et, derrière elle, quand il lui avait vidé la poche et détraqué les nerfs, il était plein du secret mépris de l'homme auquel une maîtresse vient de faire la bêtise de se donner.

– Ayez donc les femmes, dit-il tout bas au baron, en riant d'un rire hardi, vous vendrez le monde !

Maintenant, le baron comprenait. Quelques phrases avaient suffi, il devinait le reste, et une exploitation si galante l'échauffait, remuait en lui son passé de viveur. Il clignait les yeux d'un air d'intelligence, il finissait par admirer l'inventeur de cette mécanique à manger les femmes. C'était très fort.

Emile Zola, *Au bonheur des dames*, 1883.

DIALOGUE DE LA MODE ET DE LA MORT

LA MODE. – Madame la Mort, Madame la Mort !

LA MORT. – Attends que ce soit l'heure ; je viendrai sans que tu m'appelles.

LA MODE. – Madame la Mort !

LA MORT. – Va-t'en au diable ! Je viendrai bien trop tôt à ton gré.

LA MODE. – Comme si je n'étais pas immortelle !

LA MORT. – Immortelle ?

Il y a déjà plus de mille ans

qu'il a pris fin, le temps des immortels.

LA MODE. – Eh bien ! Madame pétrarquise comme un lyrique italien du XVIᵉ ou du XIXᵉ siècle...

LA MORT. – J'adore la poésie de Pétrarque, parce que j'y trouve mon Triomphe et qu'elle parle de moi presque toujours. Mais maintenant, ôte-toi de ma présence.

LA MODE. – Allons ! pour l'amour que tu portes aux sept péchés capitaux, arrête-toi un peu et regarde-moi.

LA MORT. – Je te regarde.

LA MODE. – Ne me reconnais-tu pas ?

LA MORT. – Tu devrais savoir que j'ai mauvaise vue, et que je ne porte pas de lunettes, car les Anglais eux-mêmes n'ont jamais pu m'en fabriquer une paire qui m'aille ; et en feraient-ils que je ne saurais pas sur quoi les chausser.

LA MODE. – Je suis ta sœur, la Mode.

LA MORT. – Ma sœur ?

LA MODE. – Oui. Ne te rappelles-tu pas que nous sommes les filles de la Caducité ?

LA MORT. – De quoi pourrais-je me souvenir, moi qui suis l'ennemie mortelle de la mémoire ?

LA MODE. – Moi, je m'en souviens très bien ; et je sais que toutes les deux nous travaillons pareillement à défaire et à bouleverser sans répit les choses d'ici-bas, même si toi, tu vas dans un sens et moi, dans un autre.

LA MORT. – A moins que tu ne préfères t'entretenir avec tes pensées ou avec un éventuel habitant de ton gosier, élève-donc la voix et articule un peu mieux ; si tu continues à dévider entre tes dents un filet de paroles plus ténu qu'une toile d'araignée, je ne t'entendrai jamais. Tu ne le sais peut-être pas, mais chez moi, l'ouïe n'est pas meilleure que la vue.

LA MODE. – Bien que ce soit contraire au bon usage, notamment en France où l'on n'a pas l'habitude de parler pour être entendu, je n'oublie pas que nous sommes sœurs et que nous pouvons en user entre nous sans trop de cérémonies : aussi parlerai-je comme tu le veux. Je disais donc que nous avons en commun, par nature et par notre action, de renouveler perpétuellement le monde. Toi, dès le début, tu t'en es prise aux gens et à leur vie alors que moi, je me suis contentée de toucher aux barbes, aux cheveux, aux habits, au mobilier, à l'architecture, et j'en passe. Il est vrai que je n'ai pas manqué, jusqu'à ce jour, de jouer aux hommes des tours comparables aux tiens, comme de percer tantôt les oreilles, tantôt les lèvres ou les narines, et les blesser avec les babioles que j'introduis dans les trous ; comme de brûler les chairs au fer rouge pour y imprimer de beaux dessins ; de comprimer la tête des enfants par des bandages ou tout autre procédé afin d'unifier la forme du crâne dans toute une population, comme j'en ai répandu la coutume en Amérique et en Asie[1] ; d'estropier les femmes avec des chaussures trop étroites, de leur couper le souffle jusqu'à leur faire sortir les yeux de la tête à force de serrer les corsets, et de leur infliger cent autres supplices du même genre. Plus généralement, je contrains les gens les plus raffinés à endurer tous les jours mille fatigues et mille désagréments, souvent autant de douleurs et de souffrances, et il m'arrive même d'en pousser certains à choisir, pour l'amour de moi, une mort glorieuse. Je ne dirai rien des maux de tête, des refroidissements, des fluxions de toute nature, des fièvres quotidiennes, tierces ou quartaines, que les hommes attrapent pour m'obéir, acceptant de trembler de froid et d'étouffer de chaud, simplement parce qu'il me plaît qu'ils couvrent leurs épaules de laine et leur poitrine de toile, bref ne faisant rien que selon mon humeur, et tout cela pour leur plus grand dommage.

---

1. A propos des pratiques de déformation du crâne répandues chez les barbares, on notera un passage d'Hippocrate, *De Aere, Aquis et Locis, Opp,* éd. Mercurial., I, p 29, sur un peuple du Pont, les Macrocéphales, ou « Têtes-longues », qui avaient coutume de comprimer dès la naissance la tête des enfants afin de l'allonger le plus possible. Lorsqu'ils abandonnèrent cette pratique, les enfants n'en naquirent pas moins avec la tête allongée ; parce que, dit Hippocrate, leurs parents étaient conformés ainsi.

LA MORT. – Finalement, je veux bien croire que tu es ma sœur et, si cela peut te faire plaisir, j'y crois plus qu'à la mort même, sans que tu ailles pour autant me rayer de l'état civil ! Mais à rester ainsi sans bouger, je vais m'évanouir. Si le cœur t'en dit, essaie de courir à mes côtés, en tâchant cependant de ne pas crever, car je suis plutôt rapide. Tout en courant, tu pourras me dire ce que tu attends de moi ; sinon, eu égard à notre parenté, je te promets de te laisser, lorsque je mourrai, la totalité de mes biens. Et maintenant, salut !

LA MODE. – Si nous avions à courir dans le stade, je ne sais qui des deux gagnerait l'épreuve, parce que si tu cours, moi, je vais plus vite qu'au galop ; et si tu t'évanouis quand tu t'arrêtes, moi, je me consume sur place. Reprenons donc notre course et, en courant, comme tu le proposes, nous parlerons de nos affaires.

LA MORT. – A la bonne heure ! Et puisque tu es née du corps de ma mère, tu pourrais bien m'aider un petit peu dans ma besogne.

LA MODE. – Je l'ai déjà fait plus souvent que tu ne le penses. D'abord, moi qui ne cesse d'abolir et de révolutionner tous les usages, je n'ai jamais laissé se perdre nulle part l'habitude de mourir : tu peux constater qu'elle s'est maintenue sans interruption dans le monde entier depuis toujours.

LA MORT. – Beau miracle en vérité, que de n'avoir pas fait ce que tu ne pouvais faire !

LA MODE. – Comment ça ? on voit que tu ne connais pas les pouvoirs de la mode.

LA MORT. – Bien, bien. Nous en reparlerons quand sera venu l'usage de ne pas mourir. En attendant, je voudrais que ma bonne petite sœur m'aidât à obtenir le contraire plus vite et plus facilement que je ne l'ai fait jusqu'ici.

LA MODE. – Je t'ai déjà cité plusieurs de mes actions qui t'ont valu bien du profit. Mais ce ne sont que des bagatelles, à côté de ce que je vais te dire. Petit à petit, et plus particulièrement ces derniers temps, j'ai fait tomber en désuétude et dans l'oubli les efforts et les exercices nécessaires à l'entretien du corps, et j'en ai introduit ou remis à l'honneur quantité d'autres qui l'abattent de mille manières et abrègent la durée de la vie. En outre, j'ai institué dans la société de telles règles et de telles mœurs que la vie même, tant à l'égard du corps qu'à celui de l'âme, est plus morte que vive ; si bien qu'en vérité l'on peut dire de ce siècle qu'il est le siècle de la mort. Et tandis que par le passé, tes domaines se limitaient à des fosses et des cavernes semées d'ossements et de cendres obscures dont il ne naît aucun fruit, tu possèdes maintenant des terrains au soleil ; et les hommes qui s'y agitent et s'y déplacent, te sont à vrai dire déjà acquis de droit, bien avant que tu ne les aies moissonnés, dès le premier instant de leur naissance. De plus, là où jadis tu étais haïe et exécrée, aujourd'hui, par mon ouvrage, les choses en sont venues au point que quiconque est doué d'un peu d'esprit t'estime et te loue, te préfère à la vie, t'aime tellement qu'il ne cesse de t'appeler de ses vœux et de tourner vers toi ses regards comme vers la suprême espérance. Enfin, je voyais que beaucoup prétendaient devenir immortels, ou plutôt ne pas mourir complètement, et désiraient soustraire à tes mains une bonne partie d'eux-mêmes. Je savais bien qu'il s'agissait là d'une bouffonnerie et que, même s'ils survivaient dans la mémoire des hommes, cette survie n'était que du vent et qu'ils ne jouissaient pas plus de leur renommée qu'ils ne souffraient de l'humidité de leur tombeau. Néanmoins, à l'idée que cette affaire t'irritait, parce qu'elle entamait en apparence ton honneur et ta réputation, j'ai supprimé l'usage de rechercher l'immortalité et également celui de l'accorder à ceux qui l'auraient méritée. De sorte que maintenant, de tous ceux qui meurent, tu peux être sûre qu'il n'en reste pas une miette qui ne soit bien morte, et que chacun d'eux descend bien vite sous la terre tout entier, comme un petit poisson dont on ne fait qu'une bouchée avec la tête et les arêtes. Tout cela, qui n'est pas rien, il se trouve que je l'ai fait par amour pour toi, avec le désir d'accroître ton empire sur la Terre. Et c'est ce qui est arrivé. Je suis d'ailleurs disposée à en faire chaque jour autant ou davantage, et c'est dans cette intention que je suis allée te chercher. Aussi, me semble-t-il, ne devons-nous plus, dans l'avenir, nous séparer l'une de l'autre, car si nous restons toujours en compagnie, nous pourrons nous consulter selon les circonstances, pour prendre le parti qui convient et choisir les meilleurs moyens d'exécution.

LA MORT. – Tu as raison ; nous ferons comme tu le dis.

Giacomo Leopardi, *Petites œuvres morales*, 1824.

La Mode a ouvert ici le comptoir des échanges dialectiques entre la femme et la marchandise – entre le désir et le cadavre. Son grand échalas de commis, l'insolent Trépas, mesure le siècle à l'aune, fait lui-même le mannequin, par mesure d'économie, et dirige de sa propre main la liquidation, qu'on appelle en français la « révolution ». Car la mode n'a jamais été autre chose que la parodie du cadavre bariolé, provocation de la mort par la femme, échange amer de propos chuchotés avec la putréfaction, entre deux éclats de rire perçants et faux. Voilà la mode. C'est pour cela qu'elle change si rapidement ; elle titille le Trépas et a déjà pris encore une fois une figure nouvelle, lorsque celui-ci la cherche des yeux pour l'écraser. Pendant cent ans, elle lui a rendu coup pour coup. Elle est enfin sur le point de battre retraite. Mais lui, sur les bords d'un nouveau Léthé qui déroule le fleuve d'asphalte au travers des passages, dresse un trophée avec l'armature des putains.

[...]

La mode prescrit le rite suivant lequel ce fétiche qu'est la marchandise demande à être adoré [...]. La mode est en conflit avec l'organique. Elle accouple le corps vivant au monde inorganique. Vis à vis du vivant elle défend les droits du cadavre. Le fétichisme qui succombe au sex-appeal de l'inorganique est le nerf vital de la mode. Le culte de la marchandise le prend à son service.

> Walter Benjamin, *Paris capitale du XIXe siècle. Le livre des passages,*
> (1927-1940).

(comme on disait en France, il y a trois ans, évidemment, ils ne sont pas très distingués, mais au moins ils n'ont pas de bagages LV. **)

** Ces attitudes liées à la mode ne sont pas dialectiques : elles n'offrent pas d'autre résolution qu'un va-et-vient théoriquement sans limite d'un terme à l'autre. D'où la préciosité du concept barthésien de *déport* ***, qui permet de discerner au moins des *crans* **** entre des positions qui pourraient paraître semblables : « Toute chose revient, mais elle revient comme Fiction, c'est-à-dire à un autre tour de la spirale » *****. Pour s'en tenir aux sacs LV, qui sont un bon exemple : 1/ la masse n'a pas de sacs LV, parce qu'ils sont trop chers, ou qu'elle les trouve laids, ou qu'elle ne songe pas à les trouver beaux, ou n'en a jamais entendu parler, etc. 2/ un groupe considérable (mais ce serait évidemment se laisser entraîner sur un terrain dangereux que de le taxer de petit-bourgeois) a des sacs et des bagages LV, jugeant qu'ils constituent un signe de distinction, que ce sont les bagages que l'on doit avoir, l'équivalent des *must* ****** de Cartier, etc. 3/ un groupe plus limité n'a délibérément pas de bagages LV, parce qu'il les trouve laids, bêtes, ou que le groupe 2 est vraiment trop nombreux et vulgaire, et débile le thème des *musts*, etc. 4/ on pourrait concevoir un groupuscule, ou quelques individus isolés, conscients de l'ampleur du groupe 3, las de la facilité qu'il y a à se distinguer du groupe 2 en se moquant des bagages LV, scie désormais trop répandue, et qui, menant à son terme la vocation ultime de martyre de la méconnaissance propre au dandy, feraient un retour aux bagages LV, soit en les arborant comme une citation ou un pastiche, soit, plus héroïquement, en renonçant en la matière à tout guillemet, quitte à être confondus par les membres du groupe 3 avec ceux du groupe 2.

Sans doute est-il permis de figurer ces diverses positions (sur d'autres questions leur nombre réel est infiniment plus nombreux (et puis certains cas tendraient à rendre indispensable une classification plus affinée : Chris H. (le vrai) devant transporter je ne sais plus quoi (des rideaux) de la rue Dauphine, à la rue du Bac, et n'ayant sous la main d'autre sac qu'LV, plutôt que d'emprunter la rue de Buci et le boulevard, comme il l'aurait fait normalement, ou même la rue Jacob, fait un grand détour par le quai Malaquais, afin de n'être pas vu des terrasses de café ; Lady Manors a de superbes malles LV, héritées de sa grand-mère, et elle n'a pas la moindre intention d'y renoncer ; Bart, dans les aéroports, s'approche de toutes les femmes munies de bagages LV et leur dit d'un air innocent : – Oh madame, comme vous avez de jolies valises. Où les avez-vous achetées ? tandis qu'Hervé opère un distinguo bien tranché entre les portefeuilles, sur lesquels il ferme les yeux, les bagages proprement dits, fâcheux, et les pochettes et sacs à main, qui lui font juger les gens « à première vue ». *** & ***** *Roland Barthes* par Roland Barthes, Ecrivains de toujours, Editions du Seuil, 27 rue Jacob, etc., p. 73.**** *Id.*, p. 136 ****** Un jour viendra, et vite [...], où personne ne saura plus ce que c'étaient que les *must* de Cartier. Pourtant, au concours de vulgarité des siècles, ils devraient donner au nôtre, avec *Joy, le parfum le plus cher du monde*, quelques solides points d'avance.

Renaud Camus, Tony Duparc, *Travers*, 1978.

Douze regards obliques.

1. le fabricant de prêt-à-porter
Veste à encolure ronde, dessin jacquard (215 F) sur robe de flanelle pure laine vierge (420 F) ; jupe en liberty de laine, plissée soleil (295 F), veste à dessin ajouré (360 F) sur pull de laine, fond tweed, dessin jacquard à l'encolure (185 F).
Pantalon golf en drap pure laine (250 F), veste jacquard à col châle (225 F) sur débardeur coordonné (165 F) ; jupe écossaise, pure laine (230 F), veste de laine, dessin formant col marin (250 F).
Jupe écossaise en biais, poches à revers, en pure laine (235 F) ; gilet à encolure V, boutonné devant (195 F) ; jupe en flanelle à carreaux, plissée soleil (280 F), veste col claudine en pure laine (265 F).

Robe en mousseline imprimée, col rond et poignets de soie unie, jupe plissée soleil (400 F).

Pull à encolure V, rayures horizontales dégradées en viscose (175 F), écharpe coordonnée (65 F) sur jupe-culotte en acétate mélangé (300 F) ; robe fluide en rayonne (370 F) sous un long cardigan en viscose à dessin géométrique (235 F).

Ensemble en crêpe viscose imprimé : veste droite à col plissé, jupe plissée (450 F) ; ensemble en mousseline viscose, imprimé de petites fleurs : jupe plissée soleil, haut à col carré sur encolure en V, manches godets (500 F).

Robe en jersey pure laine, col châle et poignets de soie, haut nervuré, jupe à plis (450 F) ; ensemble en jersey pure laine, veste à col marin en soie, manches et poches nervurées, jupe plissée, boutonnée sous-patte (525 F).

Ensemble en flanelle pure laine : veste à col tailleur, gilet court boutonné, jupe toute plissée (790 F), chemisier en soie à col rond et nœud (250 F). Cape plissée en jersey, avec jupe assortie, à plis creux devant (420 F). Collection enfant : tablier en satin fermière imprimé. Le 4 ans : 90 F. Pulls-over et blousons jacquard de 115 à 155 F (6 et 8 ans) suivant le modèle. Echarpes (65 F), bérets (55 et 75 F) coordonnés.

Sur un nombre impressionnant d'affiches apposées sur les encore récents abribus, trois bambins aux regards terriblement *enfantins* ont, pendant une ou deux semaines, vers octobre dernier, adéquatement mis en valeur les pulls-over, écharpes et bérets susdécrits : leurs poses, leurs expressions, leurs vêtures, leurs relations, aussi bien sur le plan de la mythologie publicitaire que sur celui de ce que l'on pouvait supposer être la réalité (leur existence en tant que modèles, le rôle qu'ils se jouaient à eux-mêmes, l'entassement successif des investissements –

psychiques et économiques – dont ils étaient en même temps l'enjeu et les moyens) me sont apparus comme une des manifestations les plus ignobles du monde dans lequel nous vivons.

2. le maroquinier

La mode serait autant ce qui distingue que ce qui rassemble : partage d'une valeur supérieure, happy few-isme, etc. Cela pourrait se concevoir, après tout. Mais, au risque d'être taxé d'aristocratisme, je persiste à me demander pourquoi tant et tant de gens sont fiers d'exhiber des sacs portant le monogramme de leur fabricant. Que l'on attache de l'importance à avoir ses initiales sur les objets que l'on affectionne (chemises, valises, ronds de serviette, etc.), pourquoi pas, mais les initiales d'un fournisseur ? Vraiment, ça me dépasse.

3. les « must »

Le maître mot de la mode n'est pas : « cela vous plaît-il ? » ; c'est : « il faut ».

Il faut. En anglais : « It's a must ». C'est ainsi qu'un joaillier de la rue de la Paix a baptisé ses briquets et ses montres.

Ce qui me frappe, ce n'est pas tant le nom lui-même, c'est qu'il est suivi d'un petit R encerclé qui veut dire que le fabricant se réserve les droits exclusifs de cette appellation.

L'objet de mode, en l'occurrence, importe peu. Ce qui compte, c'est le nom, la griffe, la signature. On peut même dire que si l'objet n'était pas nommé et signé, il n'existerait pas. Il n'est rien d'autre que son signe. Mais les signes s'épuisent vite, plus vite que les briquets et que les montres. C'est pour cela que les modes changent.

Il s'agit, dit-on, d'une douce tyrannie. Mais je n'en suis pas si sûr.

4. parenthèse en forme d'anecdote

Il y a quelques années j'ai eu, en l'espace de trois mois, l'occasion de prendre quatre repas dans quatre restaurants chinois respectivement situés à Paris (France), Sarrebrück (Allemagne), Coventry (Grande-Bretagne) et New York (Etats-Unis d'Amérique). Le décor des restaurants était peu ou prou le même et sa sinoïté s'appuyait chaque fois sur des signifiants quasiment identiques (dragons, caractères chinois, lampes, laques, tentures rouges, etc.). Pour la nourriture, c'était beaucoup moins évident : en l'absence de tout référent, j'avais jusqu'alors naïvement pensé que la cuisine chinoise (française) était de la cuisine chinoise ; mais la cuisine chinoise (allemande) ressemblait à de la cuisine allemande, la cuisine chinoise (anglaise) à de la cuisine anglaise (le vert des petits pois...), la cuisine chinoise (américaine) à quelque chose d'absolument pas chinois, sinon à quelque chose de vraiment américain. Cette anecdote me semble significative, mais je ne sais pas exactement de quoi.

5. citations

Mode : partie mobile et capricieuse des mœurs, celle qui exerce son empire sur les parures, les costumes, les ameublements, les équipages, etc. Le mot signifie proprement *la manière*, c.-à-d. la manière qui est la bonne par excellence, et qui ne doit plus se raisonner. Cependant la mode, usage passager, prend sa source dans les fantaisies d'un goût souvent corrompu, qui cherche à satisfaire la vanité et varier les jouissances des grands, des riches et des oisifs ; à peu près inconnue aux classes inférieures, elle alimente cependant une foule d'ouvriers laborieux. Les Asiatiques ont des passions plutôt que des goûts, des volontés et peu de caprices ; les institutions, les idées et les mœurs ont chez eux un caractère de stabilité presque inaltérable. La mode, qu'ils ne connaissent pas, est, au contraire, toute-puissante dans l'Europe civilisée, particulièrement en France, où se succèdent les impressions rapides et légères.

(Bachelet et Dezobry, *Dictionnaire général des Lettres, des Beaux-Arts et des Sciences morales et politiques*, Paris : Delagrave, 1882.)

Les modes parisiennes, qui brillent surtout par le goût de l'élégance, sont presque universellement adoptées par les nations étrangères, et les articles de modes sont un des principaux objets d'exportation ; les droits perçus par la douane française sur ces seuls articles s'élèvent annuellement à plus de 5 millions.

(Bouillet, *Dictionnaire universel des Sciences, des Lettres et des Arts*, Paris : Hachette, 1854.)

6. questions, 1

Pourquoi parler de la mode ? Est-ce que c'est vraiment un sujet intéressant ? Un sujet à la mode ?

On pourrait poser une question plus générale. Elle concernerait ces institutions contemporaines, comme la mode, le sport, les « vacances », la vie collective, la pédagogie, la « protection de la nature », l'environnement culturel, etc., etc., qui, me semble-t-il, transforment en épreuve, sinon en souffrance, sinon même en supplice, des activités qui, au départ, n'étaient, ne voulaient être que plaisir ou jouissance (cf. Georges Sebbag, *Le masochisme quotidien*, Paris : Ed. Le point d'être, 1972).

D'un objet à la mode, on dit qu'il fait fureur. Mais n'y a-t-il pas quelque chose de furieux, de vraiment furieux dans la mode ? Pas seulement de furieux, d'ailleurs, mais aussi de bruyant, de très bruyant, de tonitruant. Ça n'a aucun respect pour le silence, la mode : ça casse les oreilles.

7. et pourtant...

Il devrait s'agir de plaisir : plaisir du corps, plaisir du jeu, plaisir de s'habiller, de s'habiller pareil ou de s'habiller autrement, plaisir parfois de se déguiser, plaisir de découvrir, d'imaginer, plaisir de retrouver quelque chose, plaisir de changer.

Cela s'appellerait la mode : une manière de jouissance, le sentiment d'une petite fête, d'un gaspillage ; quelque chose de futile, d'inutile, de gratuit, d'agréable. On inventerait un plat, un geste, une expression, un jeu, un habit, un lieu de promenade, une danse, on ferait partager son invention, on partagerait les inventions des autres : cela durerait quelques heures ou quelques mois ; on s'en lasserait ou on ferait semblant de s'en lasser ; cela reviendrait ou ne reviendrait pas. Ce serait comme à l'école, pendant les récréations : ça a été les barres, puis la balle au chasseur, puis les billes, puis l'orchestre avec des peignes et du papier chiotte, puis les collections d'emballage de cigarettes.

Mais ce n'est pas ça, évidemment, pas ça du tout. Avant même de commencer à parler de la mode, avant même que les faits de mode soient éclairés par les lumières plus ou moins chatoyantes des diverses idéologies contemporaines, on sait déjà que ça ne sera pas ça.

La mode, pourtant, parle de caprice, de spontanéité, de fantaisie, d'invention, de frivolité. Mais ce sont des mensonges : la mode est entièrement du côté de la violence : violence de la conformité, de l'adhérence aux modèles, violence du consensus social et des mépris qu'il dissimule.

8. questions, 2

Il n'y a pas grand chose à attendre d'un procès de la mode. La mode existe. On le sait. Elle se fait et se défait, elle se fabrique et se diffuse,

elle se consomme. Elle intervient dans la plupart de nos activités quotidiennes.

Tous ces phénomènes de mode convergent vers une constatation élé-
mentaire : la mode ne produit ni des objets ni des faits, mais seulement
des signes : des points de repère auxquels une collectivité se rattache.
La seule question est alors celle-ci : pourquoi a-t-on besoin de ces
signes ? Ou, si l'on préfère : ne peut-on les chercher ailleurs ?

Que faire, lorsque le fait même de la mode vous apparaît comme une
institution grossière (quelque chose comme une carotte au bout d'un
bâton) ne renvoyant qu'aux soubresauts fatigués de notre civilisation
mercantile ; peut-on contourner la mode ? Détourner la mode ? Ou
bien quoi ?

9. alternatives

Sans contester son existence, ni mettre en doute la validité de ses principes, on peut proposer diverses modifications des phénomènes de
mode :

a) variation de sa périodicité :
La mode est généralement saisonnière. Elle pourrait être mensuelle,
hebdomadaire, ou mieux encore, quotidienne. Par exemple, il y aurait
les habits du lundi, les habits du mardi, les habits du mercredi, les
habits du jeudi, les habits du vendredi, les habits du samedi et les habits
du dimanche. Même chose, évidemment, pour tous les autres faits de
mode.

L'expression « être au goût du jour » prendrait enfin un sens strict.

b) multiplication de ses champs :
Beaucoup de choses, de lieux, de gens sont à la mode. On pourrait lan-

cer encore plus de modes, et dans des domaines où jusqu'à présent elle ne s'est guère aventurée. Par exemple, lancer la mode des jours pairs. Ou bien les banques : les cafés, les restaurants, les magasins accumulent les lampes à huile et les vieux tiroirs-caisses ; quel est le banquier audacieux qui osera ouvrir une succursale décorée comme un saloon ? (succès garanti). Ou encore, qui lancera la mode de la station de métro Corentin-Celton (« Descendez à Corentin-Celton, la station de l'Elite ! »).

c) exacerbation de ses laxismes :
On a abondamment remarqué que la mode était éclectique : elle propose en même temps des modèles, des hommes et des œuvres dont on aurait pu supposer qu'ils seraient inconciliables (cela n'est pas seulement vrai des modes vestimentaires – où cohabitent désormais des jupes de n'importe quelle longueur –, mais de la plupart des modes esthétiques). Il ne serait pas nécessaire de beaucoup forcer cette tendance pour aboutir à un monde où *tout* serait à la mode.

d) exaspération de ses parti-pris :
Ce serait la tendance contraire. Il n'y aurait, en un instant donné et en un domaine donné qu'une *seule* chose à la mode : par exemple les chaussures de basket ou le *chili con carne*, ou les symphonies de Brückner. Ensuite on changerait : bottes d'égoutier, tarte des Demoiselles Tatin, sonates d'église de Corelli. Pour donner davantage de poids à la chose (et permettre aux dirigeants de notre pays de faire plus efficacement face aux crises économiques qu'ils ont à affronter) on pourrait supposer que ces impératifs uniques aient valeur de loi : les populations seraient en temps utiles averties par voie de presse des conditions dans lesquelles ils seront désormais tenus de se chausser, de manger et d'écouter de la musique.

On peut enfin imaginer une mode dont le point d'application ne serait plus temporel, mais spatial : les faits de mode ne se répartiraient plus dans le temps, mais dans l'espace : leur existence ne serait plus soumise à des rythmes fluctuants, à des contingences impondérables ; ils ne seraient pas inéluctablement condamnés à une usure plus ou moins rapide ; ils ne s'évanouiraient plus en un seul jour, et n'auraient plus à souffrir la médiocrité de renouveaux épisodiques et désenchantés.

Toutes les modes existeraient simultanément, se distribueraient sur la surface entière du globe, et les connaître ne serait plus affaire de saisons, mais de distance.

On ne retrouverait jamais ailleurs ce que l'on aurait déjà vu ici. Alors peut-être voyager reprendrait son sens : on serait dépaysé. Au fond de chacun de nous, il y aurait un petit Marco Polo endormi qui rêverait d'aller visiter le pays des fourrures, le pays des mangeurs de choucroute, le pays des passe-montagnes en grosse laine tricotée...

10. ou plutôt :

La mode accentue l'instable, l'insaisissable, l'oubli : dérision du vécu ramené à des signes dérisoires, aux artifices de la patine et du skaï, à la grossièreté des faux-semblants. Dérision d'un vrai lui-même dérisoire, réduit à son squelette frauduleusement authentifié : le petit air vieillot pimpant neuf, la pseudo-imitation du simili-faux strass. Connivence factice, absence de dialogue : on partage la misère d'un code sans substance : le *dernier cri*...

Le contraire de la mode, ce n'est évidemment pas le démodé ; ce ne peut être que le présent : ce qui est là , ce qui est ancré, permanent, résistant, habité : l'objet et son souvenir, l'être et son histoire.

Ca ne sert pas à grand chose d'être ou de vouloir être contre la mode.

Tout ce que l'on peut vouloir, peut-être, c'est être à côté, en un lieu où les exclusions imposées par le fait même de la mode (à la mode/démodé) cesseraient d'être pertinentes.

Cela pourrait se passer dans la simple attention portée à un habit, à une couleur, à un geste, dans le seul plaisir d'un goût partagé, dans la sérénité secrète d'une coutume, d'une histoire, d'une existence.

Ainsi :

11. les « notes de chevet »

« *Vêtements de dessous* »

En hiver c'est la couleur « azalée » que je préfère.

J'aime aussi les habits de soie brillante et les vêtements dont l'endroit est blanc et l'envers rouge sombre.

En été, j'aime le violet, le blanc.

Montures d'éventail

Avec un papier vert-jaune j'aime une monture rouge.

Avec un papier violet-pourpre, une monture verte.

Manteaux de femmes

J'aime les couleurs claires. La couleur de la vigne, le vert tendre, la teinte « cerisier », la nuance « prunier rouge », toutes les couleurs claires sont jolies.

Manteaux chinois

J'aime le rouge, la couleur « glycine ». En été, je préfère le violet ; en automne, la teinte « lande desséchée ».

Jupes d'apparat

J'aime les jupes sur lesquelles sont dessinés les coraux de la mer. Les jupes de dessus.

Vestes

Au printemps, j'aime la nuance « azalée », la teinte « cerisier ». En été, j'aime les vestes « vert et feuille morte », ou « feuille morte ».

Tissus

J'aime les étoffes violet-pourpre, les blanches, celles où l'on a tissé des feuilles de chêne dentelé sur un fond vert tendre. Les tissus couleur de prunier rouge sont jolis aussi, mais on en voit tant que j'en suis fatiguée, plus que de toute autre chose.

(Sei Shonagon, *Notes de chevet*, Paris, Gallimard, 1966.)

12. ou bien, enfin :

Au lieu de tenter de cerner cet objet improbable, j'aurais préféré commencer à raconter, sous la tutelle suave de cette dame d'honneur morte aux environs de l'an mil, l'histoire de quelques-uns des objets qui se trouvent sur ma table de travail : un tampon-buvard, un manche de poignard en pierre taillée, un soliflore de métal anglais, trois boîtes en bois tourné, un petit pyrophore tronconique dont la base est orangée, une mince plaque de grès à paysage, un plumier de carton bouilli décoré d'incrustations en écaille, une théière en forme de chat, une boîte de 144 plumes « à la ronde » Baignol et Farjon, etc.

De telles histoires auraient sans doute été traversées par la mode. Elles ne s'y seraient pas épuisées.

Georges Perec, « Douze regards obliques », 1976.

BIBLIOGRAPHIE

Honoré de Balzac, *Œuvres diverses II*. Sous la direction de P.-G. Castex. Paris, Gallimard, coll. Pléiade, 1996.

–, *Les Parisiens comme ils sont*, 1830-1846, suivi du « Traité de la vie élégante ». Introduction et notes André Billy. Genève, La Palatine, 1947.

–, « Physiologie de la Toilette » dans *Théorie de la démarche et autres textes*. S. l., Pandora, coll. Le Milieu, 1978.

Théodore de Banville, *Œuvres complètes*, sous la direction de Peter J. Edwards. Paris, Honoré Champion, 1996-97.

Jules Barbey d'Aurevilly, *Les Ridicules du temps*. Paris, Rouveyre et Blond, 1883.

Charles Baudelaire, *Curiosités esthétiques ; l'art romantique et autres œuvres critiques* (1868). Textes établis par Henri Lemaître. Paris, Garnier frères, 1962.

Walter Benjamin, *Paris capitale du XIXe siècle. Le livre des passages* (1927-1940). Traduit de l'allemand par Jean Lacoste d'après l'édition établie par Rolf Tiedemann, Coll. Passages, Paris, les Editions du Cerf, 1989.

Abbé Boileau, *De l'abus des nudités de gorge* (1677). Grenoble, Jérôme Millon, coll. Atopia, 1995.

Sébastien Brant, *La nef des fous* (1494). Adaptation française par Madeleine Horst. Strasbourg, La nuée bleue, 1989.

Cabinet des Modes, ou Les Modes Nouvelles, Décrites d'une manière claire & précise, & représentées par des Planches en Taille-douce enluminées. Paris, Buisson, 1785.

Renaud Camus, Tony Duparc, *Travers.* Paris, Hachette, coll. Littérature, 1978.

Louis-Antoine de Caraccioli, *Le livre de quatre couleurs.* Aux quatre-éléments de l'Imprimerie des quatre-saisons [Paris, Duchêne], 1760 (écrit en 1757).

Thomas Carlyle, *Sartor Resartus, Vie et opinion de Herr Teufelsdrœckh* (1834), traduit de l'anglais par Edmond Barthélémy. Paris, Mercure de France, 1904.

Baldassare Castiglione, *Le livre du courtisan* (1528). Présenté et traduit de l'italien d'après la version de Gabriel Chappuis (1580) par Alain Pons. Paris, Gérard Lebovici, 1987.

Jean Cocteau, « La mode meurt jeune », extrait de *Vingt-cinq ans d'élégance à Paris 1925-1950*, recueil établi par Geneviève Perreau, sous la direction de Marcel Rochas. Paris, Pierre Tisné, 1951.
–, *Portraits souvenir.* Grasset, coll. Cahiers rouges, 1935.

Colette, *Romans Récits Souvenirs* (1900-1919). Tome I, Robert Laffont, coll. Bouquins, 1989.
–, *Romans Récits Souvenirs* (1920-1940). Tome II, Robert Laffont, coll. Bouquins, 1989.

Le courtisan à la mode, s. l., 1622.

Déclaration de la Mode, Portant règlement pour les promenades du boulevard. (Signé : Girouette) (s. l. n. d.).

Giovani Della Casa, *Galatée ou Des manières* (1558). Présenté et traduit de l'italien d'après la version de Jean de Tournes (1598) par Alain Pons. Paris, Quai Voltaire – Livre de Poche, biblio essais, 1988.

Félix Deriège, *Physiologie du lion.* Illustrations de Gavarni et H. Daumier. Paris, Delahaye, 1842.

Denis Diderot, *Les bijoux indiscrets* (1748). D'après l'édition Naigeon des *Œuvres complètes*, 1798.

Encyclopédie de Diderot et d'Alembert.

Erasme, *Eloge de la folie* (1511). Traduit par Pierre de Nolhac. Paris, Flammarion, 1964.

John Evelyn, *Tyrannus or the MODE: in a discourse of sumptuary lawes* (1661). Edited by J.L. Nevinson. Oxford, Blackwell for the Luttrell society, 1951.

Léon Paul Fargue, *De la mode.* Illustration de Chériane. Paris, Editions Littéraires de France, 1945.

Monsieur de Fitelieu, Sieur du Rodolphe & du Montour, *La contre-mode.* Paris, L. de Heuqueville, 1642.

Anatole France, *L'île des pingouins* (1908). Paris, Presses-Pocket, 1995.

Antoine Furetière, *Dictionnaire universel* (1727). Hildesheim & New York, Georg Olms, 1972.

–, *Le roman bourgeois* (1666). Paris, Gallimard, coll. Folio, 1981.

Théophile Gautier, *De la mode* (1858). Actes Sud, coll. Les Belles Oubliées, 1993.

Gazette du bon ton. Arts modes & frivolités. Lucien Vogel, directeur. Paris, [s. n.], 1912-1925 [I-VIII].

Comtesse S.-F. de Genlis, *Dictionnaire critique et raisonné des étiquettes de la cour.* Paris, P. Mongie aîné, 1818.

Grand dictionnaire universel du XXᵉ siècle Larousse.

Lettres de la princesse Palatine (1672-1722). Ed. O. Auriel. Mercure de France, coll. Le temps retrouvé, 1985.

Edmond et Jules de Goncourt, *La femme au dix-huitième siècle* (1862), in *Œuvres complètes*, XV-XVI, tome 2 (XVI). Slatkine Reprints, Genève-Paris, 1986. Réimpression des éditions de Paris, 1854-1934.

Ange Goudar, *L'espion chinois* (1773). Bordeaux, L'horizon chimérique, coll. de mémoire, 1990.

–, *L'espion français à Londres ; ou Observations critiques sur l'Angleterre et les Anglais.* Premier volume, seconde édition. Londres, 1779.

Baltasar Gracian, *L'homme de cour* (1646). Traduit de l'espagnol par Amelot de La Houssaie. Paris, Mille et une nuits, 1997.

Monsieur de Grenaille, escuyer, sieur de Chatounières, *La mode, ou le charactère de la religion, de la vie, de la conversation, de la solitude, des compliments, des habits et du style du temps.* Paris, N. Gassé, 1642.

Jean de La Bruyère, *Les caractères ou les mœurs de ce siècle, précédé des caractères de Théophraste traduits du grec* (1688). Texte établi par Robert Garapon. Paris, Garnier frères, coll. Classiques Garnier, 1968.

Giacomo Leopardi, *Petites Œuvres Morales* (1824). Traduit de l'italien par Joël Gayraud. Paris, Editions Allia, 1992.

Lettres patentes, En faveur du Royaume des Modes, & Provinces en dépendant. Qui cassent & annulent l'Ordonnance contre les Paniers, Cerceaux, & autres Ajustemens des Femmes. (Signé : Vénus [6 octobre 1719]) ; s. l. n. d.).

Stéphane Mallarmé, « La dernière mode » (1874), in *Œuvres complètes.* Texte établi et annoté par Henri Mondor et G. Jean-Aubry. Paris, Gallimard, coll. Pléiade, 1945.

Bernard de Mandeville, *La fable des abeilles* (1714). Nouvelle édition, revue et corrigée de 1998, avec introduction, traduction, index et notes de Lucien et Paulette Carrive. Paris, Vrin, 1990.

Jean-Henri Marchand, d'après Barbier, *Les panaches ou les coëffures à la mode ; comédie en un acte, précédée de recherches sur la coëffure des femmes de l'Antiquité et suivie d'un projet d'établissement d'une académie de modes.* Londres & Paris, Desnos, 1778.

Louis-Sébastien Mercier, *Tableau de Paris* (1781-1789). Edité sous la direction de Jean-Claude Bonnet. Paris, Mercure de France, 1994.

Pierre Michault, *Le doctrinal de court* (1466). Genève, Jacques Vivian, 1522.

François de Miomandre, *La mode.* Paris, Hachette, 1927.

La mode aux dames, 1622.

Molière, *L'école des maris* in *Œuvres complètes*. Edition établie par Robert Jouanny. Paris, Bordas, coll. Classiques Garnier, 1993.

Michel de Montaigne, *Essais*. Paris, A. Langelier, 1595.

Charles de Montesquieu, *Les lettres persanes* (1721). Edition P. Vernière. Paris, Garnier, coll. Classiques, 1992.

Paul Morand, *L'allure de Chanel* (1976). Propos de Chanel recueillis par Paul Morand. Paris, Hermann, 1996.

La nouvelle mode de la cour, ou le courtisan à la négligence et à l'occasion, 1622.

Georges Perec, « Douze regards obliques », Revue *Traverses*, n° 3, 1976, pp. 44-48. Réédité in *Penser/classer*, Hachette Littératures, 1985.

Piccolomini, Alessandro, *Instruction pour les jeunes dames*, par la mère et fille d'Alliance (1597). Edition de Concetta menna Scognamiglio. Fasano & Paris, Schena et Nizet, 1992.

Marcel Proust, *A la recherche du temps perdu*. Texte établi et présenté par Pierre Clarac et André Ferré. Paris, Gallimard, coll. Pléiade, 1954.

Recueil curieux de pièces originales rares ou inédites en prose et en vers sur le costume et les révolutions de la mode en France par Le Bibliophile Jacob (Paul Lacroix). Paris, Administration de Librairie, 1852.
Contenant :

> *La mode qui court et les singularitez d'icelle, ou l'ut, ré, mi, fa, sol, la de ce temps*, 1612.

Discours nouveau sur la mode, 1613.

Théodore Agrippa d'Aubigné, *Aventures du baron de Fœneste*, 1617.

Louis Petit, *Satyre contre la mode*, 1686.

Réponse à la critique des femmes, Sur leurs manteaux-volants, paniers, criardes ou cerceaux, dont elles font enfler leurs jupes, 1712.

Ponce, *Aperçu sur les modes françaises*, 1800.

Les toilettes du jour, Poème burlesque en 4 chants, 1806.

Jean-Jacques Rousseau, *Julie ou La Nouvelle Héloïse. Lettres de deux amants habitants d'une petite ville au pied des Alpes* (1761). Texte établi par René Pomeau. Paris, Garnier, 1988.

Duc de Saint-Simon, *Mémoires*, volume IV. Edition Yves Coirault. Paris, Gallimard, coll. Pléiade, 1985.

Madame de Sévigné, *Correspondance*. Texte établi par Roger Duchêne. Gallimard, coll. Pléiade, 1972-78.

William Shakespeare, *Beaucoup de bruit pour rien*. Traduit par François-Victor Hugo. Paris, Garnier-Flammarion, 1964.

Octave Uzanne, *Sottisier des mœurs. Quelques vanités du jour*. Paris, Emile Paul, 1911.

Oscar Wilde, *Epigrams*. Mount Vernon, NY, Peter Pauper, s. d.

Arthur Young, *Voyages en France pendant les années 1787, 1788, 1789* (1792). Traduit par H. J. Lesage. Paris, Guillaumin, 1882.

Emile Zola, *Au bonheur des dames* (1883). Paris, Gallimard, coll. Folio classique, 1980.

–, *La curée* (1871). Paris, Gallimard, coll. Folio classique, 1981.

Réalisation Dominique Lotti
edition@ifm-paris.org

Achevé d'imprimer en juillet 2001 sur les presses de l'imprimerie Compedit
Beauregard à La Ferté-Macé (Orne).
N° d'imprimeur : 7457 - ISBN : 2-9505147-7-4
Dépôt légal : 3ème trimestre 2001